afgeschreven

REVANCHE

Andere boeken van Gerard van Gemert bij Clavis

In de serie 'De Hockeytweeling'

De verdwenen stick
Hoog spel
Rivaliteit
Eindsignaal

In de serie 'De stoere hockeybende'

Sem slaat zijn slag
Onder vuur
Strafbal

In de serie 'Allsports Academie'

Valse start
Misslag

Verder zijn er nog de succesvolle voetbalseries
'De Voetbalgoden' en 'Kief de goaltjesdief'

En van Gerard van Gemert en co.

De wraak van Mysteria

Gerard van Gemert

REVANCHE

Met illustraties van Sanne Miltenburg

Clavis

Stefanie en Terra, de modellen van de cover

Gerard van Gemert
Revanche
© 2013 Clavis Uitgeverij, Hasselt – Amsterdam – New York
Coverfoto: Ellen Binnekamp
Binnenwerkillustraties: Sanne Miltenburg
Omslagontwerp: Studio Clavis
Trefw.: hockey, tweeling, verdwijning, spanning
NUR 283/284
ISBN 978 90 448 1987 8
D/2013/4124/108
Alle rechten voorbehouden.

www.clavisbooks.com
http://hockeytweeling.blogspot.com
www.sannetekent.nl

1

'Jemig, Zaar, je zou niet zeggen dat jij er een halfjaar uit bent geweest.' Marit stond leunend op haar stick uit te hijgen. Ze was zojuist twee keer het bos in gestuurd door Zahra, die haar voorbij was gelopen alsof ze er niet stond en vervolgens snoeihard van de kop van de cirkel de bal vlak onder de lat had geslagen.

'Beginnersgeluk.' Zahra glimlachte en draaide haar stick een keer rond in haar handen.

Marit legde haar hand op Zahra's schouder. 'Laat me niet lachen. Wedden dat je binnen een maand weer een uitnodiging voor Jong Oranje krijgt en dat er straks weer rijen scouts van topclubs langs de lijn staan?'

Zahra keek naar de kant en zag Nikki staan. Die stak breed lachend haar beide duimen in de lucht als reactie op het schitterende doelpunt van haar tweelingzus. Ongemerkt dacht Zahra terug aan de laatste maanden. Na het ongeluk van Nikki en de mededeling van de artsen dat Nikki misschien nooit meer zou kunnen lopen, had ze besloten te stoppen met hockeyen. Het was uit solidariteit met haar zus dat ze deze beslissing had genomen. Alsof ze daarmee een stuk van de pijn van Nikki kon overnemen en ervoor kon zorgen dat ze het verdriet konden delen.

Maar nadat het herstel van Nikki veel voorspoediger was verlopen dan de dokters hadden gedacht, ging het langzaam weer kriebelen bij Zahra. Dat werd alleen maar erger nadat ze een paar keer op het complex van HCA was geweest om naar haar elftal te kijken. De eerste keer viel nog wel mee omdat de meeste mensen bij de club naar de toestand van Nikki vroegen en ze het beleefd antwoorden zat werd.

Maar toen ze wat vaker op de club kwam, kreeg ze weer zin om te hockeyen. Zeker toen bleek dat het team haar miste en de prestaties in een neerwaartse spiraal terecht waren gekomen, wilde ze het liefst een stick uit de dug-out pakken en het veld in rennen. Maar ze vond dat ze dat niet kon maken ten opzichte van Nikki. Alsof ze haar daarmee zou verraden. Pas toen het steeds beter met Nikki ging, de hoop zelfs groeide dat ze weer zou kunnen keepen en Nikki er tientallen keren op aan had gedrongen dat ze weer zou gaan hockeyen, had Zahra de beslissing genomen. En vandaag was het de eerste keer dat ze weer meetrainde.

Zahra stak haar hand op naar Nikki. Ze voelde aan haar lijf dat het niet meer gewend was aan een inspanning als deze. Eigenlijk had ze er beter aan gedaan om eerst haar conditie weer op peil te brengen. Dat was ook de bedoeling geweest en toen de andere speelsters met de oefeningen bezig waren, had Zahra rondjes gelopen. Maar de honger naar de stick was te groot en toen Daniel vroeg of ze met het partijtje mee wilde doen, had ze niet eens getwijfeld en was ze meteen het veld op gestapt. Maar naarmate het partijspel vorderde, nam de vermoeidheid toe en ging het allemaal een stuk minder soepel.

'Aanstaande zaterdag meespelen komt nog te vroeg, zo te zien.' Daniel kwam naast Zahra lopen. 'Of denk je dat je al op de bank kunt zitten?'

Zahra grinnikte. Ze begreep wel waarom Daniel dat vroeg. HCA MC1 was vorig jaar nog in de top van de hoogste klasse geëindigd, vooral door het briljante spel van Zahra. Maar dit jaar ging het een stuk minder. Het elftal bengelde in de onderste regionen. Tot overmaat van ramp stond komend weekend een wedstrijd tegen de koploper op het programma. Een week later moesten ze tegen een ploeg die vlak onder hen stond. Als ze daar geen punten zouden pakken, was een degradatieplek onvermijdelijk. 'Op de bank zitten kan ik natuurlijk altijd. Maar of dat verstandig is …?' Ze maakte de zin niet af en hoorde Daniel zuchten.

'Jij kunt als een van de weinigen een wedstrijd in vijf minuten laten kantelen, Zaar.'

'Vijf minuten kun je toch wel spelen,' hoorde Zahra naast zich. Het was Nikki. Liefdevol legde ze haar arm om de schouder van haar zus.

Nikki zelf durfde nog niet aan hockeyen te denken. Ze was nog bang voor een terugslag, maar de vooruitgang die ze de laatste weken had geboekt, gaf hoop voor de toekomst. Zahra had al zo vaak tegen haar gezegd dat ze een keer mee moest gaan hardlopen.

'Ik was na vijf minuten al buiten adem,' zei Zahra. 'Dan is het toch niet verstandig om zaterdag al mee te spelen?'

Daniel voelde dat er een opening was. 'Ik gebruik je alleen als het echt niet anders kan. En zodra het niet meer gaat, kom je weer naar de kant.'

Het vooruitzicht van het gevoel weer een wedstrijd te spelen maakte Zahra blij. 'Vooruit dan maar.'

'Super,' reageerde Daniel opgewekt. 'Fijn dat je weer terug bent.'

'Tegen wie spelen we?' Dat wist Zahra wel. Ze had het elftal de laatste weken op de voet gevolgd, maar op een of andere manier vond ze het wel stoer om het te vragen.

Daniel keek bedenkelijk. 'Black Angels.'

'Die staan bovenaan, toch?' Ook Nikki was de verrichtingen van haar team blijven volgen. De laatste weken waren Nikki en Zahra al een paar keer samen gaan kijken. 'Volgens mij hebben ze pas twee keer gelijkgespeeld en voor de rest alles gewonnen.'

'Klopt,' zei Daniel. 'Het ligt inderdaad niet in de lijn der verwachting dat we tegen hen punten gaan pakken. Maar het is wel een goede tegenstander om weer te beginnen.'

Zahra schoot in de lach. 'O, jij vindt het leuk dat ik terugkom met een grote nederlaag.'

'Nee, joh.' Daniel lachte met Zahra mee. 'Maar dan is er niet zo veel druk. Als we tegen een mededegradatiekandidaat zouden spelen, was het een heel ander verhaal geweest.'

Zahra begreep wat haar trainer bedoelde. Nu werd niet verwacht dat ze een goed resultaat zouden halen. Dus bij een nederlaag zou Zahra niet het gevoel hebben dat haar terugkeer zinloos was geweest.

Ze waren bij de kleedkamer aangekomen. Charlotte, de spits van HCA MC1, omhelsde Zahra. 'Fijn dat je weer terug bent.' Ook de andere meiden kwamen erbij staan en binnen een paar seconden waren Zahra en Nikki, die naast haar zus stond, het middelpunt van een groepsknuffel.

Het overviel Zahra en met veel moeite kon ze haar tranen wegknipperen. 'Ik ben ook blij dat ik weer terug ben.' Haar stem trilde, wat tot gevolg had dat de knuffel nog een keer werd ingezet.

'Nu jij nog,' zei Romy tegen Nikki. 'Ik verwacht toch zeker dat jij voor het einde van de competitie weer bij ons onder de lat staat.'

Nikki glimlachte. 'En dan moet ik nog maar zien dat ik Jessica uit het elftal speel. Want die staat behoorlijk goed te keepen, de laatste tijd.'

'Ik maak graag plaats voor je.' Jessica was eigenlijk de doelvrouw van de D1, maar was doorgeschoven nadat bleek dat Nikki voor lange tijd uitgeschakeld was.

Nikki's ongeluk had sowieso een behoorlijke impact op het elftal gehad. De schok, nadat de ernst van de gevolgen bekend was geworden, was immens geweest. Voor de eerste training na het ongeluk had Daniel het in de kleedkamer verteld. Van trainen was niets meer gekomen. De meiden hadden in een massale huilpartij steun bij elkaar gezocht. Toen was zelfs nog onduidelijk of Nikki het zou overleven. Dat ze nu gewoon tussen hen zou staan, hadden ze toen niet durven dromen.

Nadat Zahra en Nikki weer bevrijd waren en de meiden weer teruggekeerd waren naar hun eigen plek in de kleedkamer, ging Daniel in het midden staan. 'Ik heb goed nieuws, meiden,' begon hij. 'Zahra doet zaterdag mee tegen Black Angels.'

'Wat?' Romy ging weer staan. 'Zaterdag al, Zaar?'

'Ik kan natuurlijk niet de hele wedstrijd spelen. Maar af en toe eens vijf minuutjes moet lukken.'

'Super, man,' riep Marit. 'Dan kunnen we eindelijk weer eens een paar keer winnen.'

Zahra glimlachte. 'Hoho, ik heb een halfjaar niet gespeeld, hè.'

'Dat hebben we gezien vandaag.' Marit maakte een wegwerpgebaar. 'Ik werd voorbijgelopen alsof ik er niet stond.'

Daniel had zijn handen in de lucht gestoken. 'Zaterdag spelen we wel tegen de koploper, dames. En verwacht geen wonderen van Zahra. Dat zou niet eerlijk zijn.'

Daar waren de andere meiden het wel over eens. Maar toch bleef er een lichte jubelstemming hangen vanwege de definitieve terugkeer van hun voormalige sterspeelster. Ze vonden allemaal dat dit het begin van beterschap kon zijn.

Zahra was blij met dit onthaal. Ergens in haar achterhoofd was ze bang geweest dat de meiden haar niet meer terug wilden. Dat ze vonden dat zij hen in de steek had gelaten door te stoppen terwijl zij geen ongeluk had gehad. Zahra had zelfs met de gedachte gespeeld dat de anderen haar een aanstelster vonden, die de aandacht naar zich toe wilde trekken. Of dat ze juist wilde dat ze haar terug zouden vragen omdat ze onmisbaar was. Gelukkig was van dat alles niets waar. De meiden waren oprecht blij dat ze weer terug was.

'Blij om weer terug te zijn?' vroeg Nikki toen ze samen naar huis fietsten.

Zahra knikte. 'Ja, het was weer ouderwets heerlijk.' Ze keek even opzij naar haar zus. 'Nu jij nog.'

Nikki glimlachte. 'Dat komt vanzelf, Zaar. Ik mag al blij zijn dat ik op deze fiets kan zitten.'

Zahra keek weer voor zich. Toch voelde het niet compleet, hockeyen zonder Nikki.

'Jelle vroeg naar je.' Timo slingerde zijn schooltas in de hal, liep naar de voorraadkast en kwam even later met een pak koekjes terug.

'Je mag geen heel pak pakken van mama.' Zahra probeerde de opmerking van haar broer te negeren, maar ondertussen was haar hart een keer overgeslagen toen hij de naam Jelle uitsprak.

Timo propte twee koekjes tegelijk in zijn mond. 'Boeien,' zei hij nauwelijks verstaanbaar. Doordat zijn mond vol zat met koek, vlogen de kruimels in het rond.

'Gadver, Tiem,' riep Nikki. 'Doe niet zo goor.'

De meiden waren de volgende middag eerder uit school dan Timo. Ze hadden besloten nog niet te beginnen aan hun huiswerk. Het was vrijdag, dus ze hadden nog het hele weekend. Hun moeder was op vrijdagmiddag altijd naar oma.

De oudere broer van de tweeling zat er niet mee. Hij grijnsde en terwijl hij de vorige hap nog niet had doorgeslikt, stopte hij de volgende er al bij.

Nikki zat op de ene stoel met haar mobieltje in haar hand te whatsappen met een van haar schoolvriendinnen. Zahra lag half in de andere stoel. Ze keek met een schuin oog naar Timo. Ze wilde niet te gretig overkomen door aan Timo te vragen wat Jelle precies had gezegd. Maar vanbinnen schreeuwde alles om meer informatie. Ze had verkering gehad met Jelle, of misschien had ze wel nog steeds verkering. Geen van beiden had het officieel uitgemaakt. Waarom had hij naar haar gevraagd? Was het gewoon nieuwsgierigheid of wilde hij gewoon weten hoe het met haar ging? Had hij gehoord dat ze weer getraind had en morgen weer mee zou doen met de C1? Of was er meer? Wilde hij weer in contact met haar komen omdat hij haar miste?

'Hij doet je echt niets meer, hè?' Timo had de afstandsbediening van de salontafel gepakt en zapte langs de vele kanalen. Blijkbaar vond hij niets interessant genoeg om er langer dan twee seconden naar te kijken.

'Wat?' vroeg Zahra. Natuurlijk had ze hem wel gehoord, maar ze wilde nonchalant en ongeïnteresseerd overkomen.

Timo glimlachte. 'Je hoorde me wel.'

'Hou eens op met dat irritante gezap, Tiem.' Nikki keek op van haar mobiel. 'Kies een programma uit en kijk ernaar.'

Timo zapte gewoon verder. 'Zijn jullie met het verkeerde been uit bed gestapt vanochtend? Jemig, wat zijn jullie kribbig.' Hij had een muziekprogramma gevonden, zette de tv harder en legde de afstandbediening naast zich op de bank.

'Zet zachter,' riep Nikki. 'En wat een afschuwelijke muziek!'

Timo trok zich er niets van aan. Hij bewoog alleen om een nieuw koekje in zijn mond te steken en er zo hard als hij kon op te kauwen.

Nikki kwam zuchtend overeind en liep naar haar broer toe. 'Waar is die afstandsbediening?' De toon in haar stem was erg onvriendelijk.

'Afstandsbediening?' vroeg Timo. 'Heb ik niet.'

'Tiem.' Nikki praatte nu op dezelfde toon als haar moeder wel eens deed. 'Zet dat ding zachter of geef die afstandsbediening aan mij.'

Timo kon zijn lachen nauwelijks inhouden. 'Ik weet niet waar je het over hebt.'

Zahra bemoeide zich niet met de discussie. Ze baalde dat Timo niet meer aan Jelle dacht en aan wat hij had gezegd. Ze had misschien toch iets geïnteresseerder moeten overkomen. Zahra had veel moeite moeten doen om Jelle van haar aartsrivale Chantal af te pakken. Maar toen hij oog kreeg voor Zahra, viel hij ook als een blok voor haar. Het kreng Chantal was, nadat was gebleken dat zij en haar moeder verantwoordelijk waren voor Nikki's ongeluk, naar een andere plaats verhuisd. Van haar had ze dus geen last meer. Maar Jelle had Zahra links laten liggen toen Nikki zwaargewond in het ziekenhuis lag en daardoor had Zahra weinig aandacht aan hem geschonken. Ze vond dat het zijn taak was om haar weer voor zich te winnen. Maar daar nam de sukkel alle tijd voor en dat stoorde Zahra mateloos. Maar nu had hij dus blijkbaar naar haar gevraagd.

Intussen had Nikki de afstandsbediening te pakken weten te krijgen en het toestel zachter gezet. De afstandsbediening had ze meegenomen naar de stoel.

Timo gaf zich gewonnen, ging languit op de bank liggen en bleef koekjes eten. En dat vond Zahra weer irritant. Nu moest ze hem eraan herinneren dat hij iets over Jelle had gezegd. En eigenlijk wilde ze dat niet, want ze wilde juist niet de indruk wekken dat ze nog geïnteresseerd was in Jelle. Ze besloot nog even te wachten en hoopte dat Timo er zelf weer over zou beginnen. Maar dat was ijdele hoop, want Timo bleef gebiologeerd naar het tv-scherm kijken.

'Tiem?' vroeg ze na vijf minuten.

'Hm?' was het enige dat haar broer uitbracht.

'Wat zei Jelle precies?' Vanuit haar ooghoek zag Zahra dat Nikki van haar mobiel opkeek, maar dat was maar van korte duur.

Timo bleef zijn ogen op het scherm houden. 'Waarover?'

Zahra zuchtte. 'Toen je binnenkwam, zei je iets over Jelle.'

Timo stak het zoveelste koekje in zijn mond.

Voor hij iets kon zeggen, zei Nikki: 'Eet niet het hele pak leeg, anders heb je straks mama in je nek.'

Zahra schudde haar hoofd. Als Nikki nou even haar mond hield, kon Timo gewoon antwoord geven op haar vraag.

Het ging al moeizaam genoeg met hem.

'Boeien. Dan koop ik toch gewoon een nieuw pak,' antwoordde Timo schouderophalend.

Nikki trok een raar gezicht en vond het blijkbaar prima zo. Dan moest hij het zelf maar weten.

Zahra liet de vraag over Jelle weer een paar minuten wachten. Timo had zijn mond weer vol, maar had het halfvolle pak met koekjes wel op de grond voor de bank gelegd. Of het kwam door de opmerking van Nikki of omdat hij genoeg had, wist Zahra niet. Ze dacht het laatste, omdat hij zich meestal niet zo veel van zijn zussen aantrok. 'Wat zei Jelle nou?' vroeg ze even later.

'Gewoon, hoe het met je ging.'

Grappig dat hij nu wel meteen weet wat ik bedoel, schoot het door Zahra's hoofd. 'En wat heb je geantwoord?'

'Dat het goed met je ging en zo.'

Zahra was teleurgesteld. 'Was dat alles?'

'Hij vroeg zich af of jullie nog verkering hebben.' Timo gniffelde. 'Domme vraag natuurlijk, want hoe moet ik dat nou weten? Ik heb hem gezegd dat hij je maar moest bellen.'

'Oké.' Zahra had de laatste tijd veel aan Jelle gedacht. Maar ze hadden na het ongeluk van Nikki heel weinig contact gehad. Diep vanbinnen had ze hem er weleens van verdacht dat Nikki's aanrijding hem wel goed uitkwam en hij daardoor op een makkelijke manier van haar af kon komen. Anders had hij toch wel wat meer van zich laten horen. Dat hij het vlak na het ongeluk moeilijk vond om haar te zien, kon ze wel begrijpen. Zeker als je dat niet meteen doet, wordt de drempel voor de eerste stap steeds hoger. Maar nu alles met Nikki de goede kant op ging en Zahra zelfs weer af en toe op de hockeyclub was, kon het toch niet zo moeilijk zijn om even hallo te zeggen.

'Maar hebben jullie nou nog verkering of niet?'

Timo draaide zijn hoofd zodat hij Zahra kon zien.

'Ik denk het wel.' Zahra zei het zachtjes. Zo overtuigd was ze er niet van. Maar nu Jelle openlijk hetzelfde had gevraagd aan Timo, hoopte ze dat het weer zou worden zoals het voor het ongeluk was geweest. Dat ze samen gezellige dingen konden doen.

Timo richtte zijn ogen weer op de televisie. 'Nou, dat klinkt ook niet overtuigend,' mompelde hij. 'Maar verkering op afstand en zonder contact is wel lekker makkelijk. Geen gezeur aan je hoofd dat je nooit aandacht geeft, je kunt nooit iets verkeerds zeggen waardoor ze boos wordt en je hoeft ook geen cadeaus te kopen.' Dat laatste zei hij een stuk luider.

'Doe niet zo flauw, Timo,' bemoeide Nikki zich ermee. 'Af en toe lijk je wel een klein kind.'

Timo stak zijn handen in de lucht. 'Dit is dus precies wat ik bedoel. Je zegt iets en het wordt meteen als beledigend opgevat.' En terwijl hij met een klap zijn armen naast zich op de bank liet vallen, zei hij verontwaardigd: 'Vrouwen.'

Zahra liet de discussie langs zich heen gaan. Haar telefoon trilde ten teken dat ze een sms'je of appje had ontvangen. Ze veegde over het scherm om de vergrendeling ongedaan te maken en zag dat het een bericht van Jelle was. Om het zeker te weten knipperde ze een keer met haar ogen. Meteen daarna hoorde ze de achterdeur opengaan.

'Daar is mama, Tiem,' zei Nikki.

'Shit.' Timo kwam overeind, alsof hij door een wesp werd gestoken en griste het pak met koekjes van de grond. Snel liep hij naar de kast, gooide het pak naar de plaats waar hij het had gepakt en rende weer terug naar de bank. Hij had de houding aangenomen die hij daarvoor had, toen hun moeder de kamerdeur opende.

'Hallo,' begroette ze haar kinderen vrolijk.

Nikki was de enige die enthousiast reageerde met: 'Hoi mam.'

Zahra keek alleen even op, maar was het bericht van Jelle aan het lezen en Timo was nog aan het bijkomen van de schrik.

'Hallo, ook voor de andere kinderen,' probeerde hun moeder het nog een keer.

'O, hoi mam,' antwoordde Zahra nu wel.

'Hoi,' reageerde Timo kortaf. Maar dat was hun moeder wel gewend.

Nikki begon een gesprek over oma en vroeg hoe het met haar ging. Toen het gesprek beëindigd was, stond Zahra op en knikte met haar hoofd naar Nikki om aan te geven dat ze mee naar boven moest komen. Ze moest de inhoud van het bericht van Jelle met haar zus delen.

'Nou, ik ben benieuwd.' Nikki kwam weer naast Zahra rijden. Een auto haalde hen in, waardoor ze even achter elkaar moesten fietsen.

'Ik ook,' antwoordde Zahra. Voor het eerst in weken reed ze naar de hockeyclub met een volle hockeytas over haar schouder. Jelle had in zijn berichtje laten weten dat hij gehoord had dat Zahra weer mee zou doen met de MC1. En hij had aangekondigd dat hij zou komen kijken. Maar ook dat hij iemand mee zou nemen. Zahra had kort gehengeld naar wie het was, maar daar kreeg ze geen antwoord op. En ze wilde niet aandringen omdat het zou lijken alsof ze niets anders wilde dan weten over wie hij het had.

'Volgens mij gaat Daniel je langer laten spelen dan hij donderdag zei. Dus zorg er wel voor dat je je niet forceert, want voor je het weet, heb je een blessure.' Nikki maakte zich zorgen om haar zus. Ze kende als geen ander haar fanatisme, wat zich kon vertalen in overactief gedrag. Nikki wist wel dat dat ook juist Zahra's kracht was, waardoor ze juist dat beetje extra kon brengen waar anderen afhaakten.

Zahra glimlachte. Toen Nikki zei dat ze benieuwd was, dacht zij dat ze doelde op Jelle en wat hij in het berichtje had geschreven. Maar Nikki had het over de wedstrijd van vandaag. Grappig, dacht Zahra, vroeger was ze op zo'n dag als vandaag alleen maar met de wedstrijd bezig. Nu had ze de hele ochtend aan Jelle gedacht. 'Ik zal voorzichtig doen,' stelde ze haar tweelingzus gerust. Een paar seconden fietsten ze zwijgend naast elkaar. 'Zou Jelle er zijn?' vroeg Zahra daarna.

'Als je zijn berichtje moet geloven, dan komt hij kijken, maar niet alleen. Maar Jelle heeft in het verleden wel vaker dingen beloofd die hij daarna niet nakwam.'

Zahra knikte onbewust. Daar had Nikki gelijk in, maar het was nooit zo erg geweest dat ze zich daar blijvend aan had geërgerd.

'Zou het een meisje zijn? Zijn nieuwe vriendin?' Zahra had het daar gisteravond ook al met Nikki over gehad. Maar die had het weggelachen.

'We zullen zien,' ging Nikki verder zonder op Zahra's opmerking te reageren. 'Als het goed is, is hij zich nu aan het warmlopen, want hij moet dadelijk spelen.'

'O?' Zahra keek haar zus van opzij aan. 'Hoe weet jij dat?'

Nikki bleef recht voor zich uit kijken. 'Ik heb even op de site van de club gekeken hoe laat de B1 moest spelen.'

'Dat had je ook aan Timo kunnen vragen, toch?'

'Die was gisteravond weg en hij reageerde zoals gewoonlijk niet op mijn berichtjes. Hij zal wel weer bij zijn vrienden zijn geweest. Dan laat hij ons altijd links liggen. De loser.'

Zahra grinnikte. Hun broer deed er alles aan om, als hij in het bijzijn van zijn vrienden was, de schijn te wekken dat hij de afstand tussen hem en zijn zussen zo groot mogelijk wilde te houden. Maar ondertussen zocht hij hen wel op als ze thuis waren. Het was waarschijnlijk niet stoer om toe te geven dat je je zussen best gezellig vond en het goed met hen kon vinden. 'Sukkel,' bevestigde Zahra de mening van Nikki. 'Meestal speelt de B1 uit als wij thuis spelen.'

'Het is een inhaalprogramma. Deze wedstrijden zouden eigenlijk gespeeld worden in die twee weekends dat het zo hard vroor en sneeuwde.'

'Dat klinkt logisch,' vond Zahra.

Nikki zweeg. Het feit dat zij precies wist hoe het bij de hockeyclub in elkaar zat, terwijl ze al maanden uitgeschakeld was en het nog altijd onzeker was of ze ooit weer zou kunnen keepen, gaf het verschil tussen Zahra en Nikki aan. Zahra had zich er niet in verdiept. Ze wist dat ze tegen de koploper moesten, maar dat was dan ook alles. Zahra's afwezigheid en de afstand die ze genomen had, had haar ook iets minder fanatiek gemaakt. Maar Nikki wist dat dat wel zou terugkomen als ze eenmaal weer zou gaan spelen. Zelf hoopte ze in het volgende seizoen weer aan te sluiten. De dokters waren positief en haar revalidatie verliep boven verwachting. Belangrijk was dat ze dat laatste stapje zou kunnen maken van normaal bewegen tot sporten op hoog niveau. Aan haar inzet zou het niet liggen, maar daar lag ook het gevaar. Haar fysiotherapeut waarschuwde haar steeds voor overdaad. Ze moest het langzaam opbouwen, dan was de kans op volledig herstel het grootst. Een terugslag zou er zomaar voor kunnen zorgen dat het maanden langer zou duren voor ze weer aan hockeyen toe kwam. Ze vond het opmerkelijk dat ze in de afgelopen maanden steeds haar verwachtingen verlegd had. Helemaal in het begin van haar revalidatie was ze al tevreden geweest als ze weer zou kunnen lopen met een hulpmiddel. Daarna werd het doel wandelen zonder hulpmiddel en nu hoopte ze weer aan sporten toe te komen. Ergens in een hoekje van haar gedachten zat zelfs Jong Oranje nog. Vlak voor het ongeluk had ze een uitnodiging van de hockeybond gekregen, maar daar had ze helaas niet op kunnen ingaan. Zahra zei steeds dat ze hoopte dat Nikki zich over haar angst heen kon zetten. Dan zou ze zo weer terug zijn. Maar Zahra wilde haar ook niet pushen, want dat zou alleen maar averechts werken.

'De B1 speelt op veld 1.' Zahra wees naar het veld waar ze nu langs fietsten. De wedstrijd was al begonnen.

'Klopt, ze spelen voor ons. Eh, voor jullie, bedoel ik.'

'Voor ons, Nik,' corrigeerde Zahra haar zus. 'Je hoort er gewoon bij. Je bent alleen wat lang geblesseerd.'

Nikki keek Zahra liefdevol aan.

De meeste meiden zaten om een tafeltje in het clubhuis te wachten. Daniel liep zenuwachtig heen en weer en keek steeds op zijn horloge. Zahra snapte niet waarom, want het was nog ruim tien minuten voor de afgesproken verzameltijd.

Nikki en Zahra begroetten hun teamgenoten. Alle stoeltjes waren bezet, dus pakte Zahra er twee bij een ander tafeltje vandaan en sloten ze bij de andere meiden aan. Over vijf minuten zou Daniel hen langzaam richting de bestuurskamer dirigeren voor de wedstrijdbespreking, wetende dat het altijd nog een paar minuten duurde voor de meiden in beweging kwamen. Zahra moest daar altijd om lachen omdat Daniel zich daar iedere week weer erg druk over maakte.

Nu Zahra zo tussen de meiden zat, merkte ze pas hoe erg ze dit gemist had. Het geklets over niets, roddelen over de jongens van de C1 en B1 en de wedstrijdspanning die langzaam bezit van je neemt. Ze keek naar Nikki, die tegenover haar zat. De meiden behandelden haar alsof ze straks gewoon in het doel zou staan. Toch wist Zahra dat juist op dit soort momenten het gemis bij Nikki het grootste moest zijn. Thuis en op school ging het inmiddels zoals voor het ongeluk, maar hier werd ze des te meer geconfronteerd met wat haar was overkomen. Ogenschijnlijk had ze er geen last van, maar Zahra kende haar tweelingzus langer dan vandaag en wist dat het bij haar vanbinnen knaagde.

'We gaan naar de bestuurskamer.' Daniel tikte met zijn wijsvinger op zijn klokje.

'Romy is er nog niet,' zei Charlotte.

'Dan komt die maar meteen door naar de bestuurskamer.' Daniel was geen spat veranderd, constateerde Zahra.

Alle meiden bleven zitten. Ze zouden pas massaal in beweging komen zodra een van hen op zou staan. Zahra vond het niet aan haar om dat te doen, nu ze zo lang geen deel van het team had uitgemaakt. Voor het ongeluk had ze wel vaak een voortrekkersrol, maar dat kwam vooral omdat ze met afstand de beste van het team was en zij de enige speelster van HCA was die ooit voor Jong Oranje was uitgenodigd.

Marit was dit keer degene die het voortouw nam en, na nog tweemaal aandringen van Daniel, de meiden meenam naar de bestuurskamer. Romy was inmiddels ook gearriveerd. Ze verontschuldigde zich omdat ze te laat was. Daniel had haar alleen maar toegeknikt.

Nikki was de enige die aan het tafeltje bleef zitten. Zahra zag het met lede ogen aan, want dit keer kon haar zus haar emotie niet onderdrukken en de uitdrukking op haar gezicht gaf aan dat ze dit niet makkelijk vond.

'Kom, Nik,' riep Charlotte. 'Waar blijf je?' Ze wenkte in de richting van het tafeltje waar de doelvrouw eenzaam achter was gebleven.

'Ik doe niet mee, hoor,' glimlachte Nikki.

'Maar je hoort er wel gewoon bij.' Charlotte liep terug naar de tafel en trok Nikki overeind. De spits van HCA MC1 hing haar tas over haar schouder en haakte haar arm in die van Nikki. Zo trok ze haar mee naar de bestuurskamer. 'Ben je nou helemaal mal?' sprak ze streng.

Zahra had de verdrietige uitdrukking op het gezicht van Nikki zien veranderen in een blije. Het bezorgde haar een brok in de keel, die ze probeerde weg te slikken. En met het knipperen van haar ogen drong ze de tranen terug. Dat laatste lukte niet helemaal, maar met een onopvallende armbeweging veegde ze ze van haar wang.

Ook de wedstrijdbesprekingen van Daniel waren nauwelijks veranderd. Hij gaf nog steeds veel aandacht aan loopacties en strafcorners. Zahra zou op de bank beginnen en als het nodig was af en toe een paar minuten ingezet worden. Daniel gaf duidelijk aan dat hij geen enkel risico met haar zou nemen, ook niet als de stand in de wedstrijd erom zou vragen.

Twintig minuten later liepen de meiden naar de kleedkamer. De warming-up deden ze op het juniorenveldje. Pas toen de wedstrijd van de B1 was afgelopen, stapte de MC1 van HCA het veld op.

Jelle stond bij de dug-out met zijn rug naar het veld toen Zahra daar arriveerde. 'Hoi,' zei ze. Ze vroeg zich af of hij haar een kus zou geven.

Jelle draaide zich om. 'Hé,' reageerde hij. Hij deed een stap in haar richting en kuste haar op haar wang.

Een warm gevoel vloeide door Zahra's lijf en het stelde haar een beetje gerust. Ze bleef een onbestemd gevoel houden over Jelles berichtje en degene die hij mee zou nemen. Zahra had al rondgekeken, maar niemand gezien die daarvoor in aanmerking kwam. 'Gewonnen, hè?'

'3-0.' Jelle haalde zijn schouders op. 'Makkie.'

'Gescoord?' vroeg Zahra verder.

'Nee, Timo wel twee keer.'

Zahra fronste haar wenkbrauwen. 'O nee, dan moeten we weer de hele week horen hoe goed hij is.'

'Gewoon zelf ook twee keer scoren,' zei Jelle. 'Ben je overal van af.'

'Dat zou mooi zijn, maar ik ben bang dat dat er nog niet in zit.'

Jelle legde zijn hand op haar schouder. 'Zie ik je straks nog?'

'Tuurlijk.' Ze keek Jelle onderzoekend aan. 'Je moet me toch nog aan iemand voorstellen?'

'O ja.' Jelle lachte mysterieus. 'Succes, zo meteen.'

Zahra glimlachte. 'Dank je.'

Vanaf de bank zag Zahra hoe de Black Angels vanaf het begin het initiatief namen en de MC1 van HCA in de verdediging duwden. Twee strafcorners binnen de eerste vijf minuten leverden nog geen doelpunt op, maar het leek een kwestie van tijd voor het eerste tegendoelpunt zou vallen.

Daniel stond voor de dug-out en coachte constant om zijn meiden zo neer te zetten dat ze de aanvalsgolven van de koploper konden opvangen. Steeds als het mis dreigde te gaan, keek hij naar de bank en leek het erop of hij Zahra wilde roepen. Waarschijnlijk om niet te vroeg zijn kruit te verschieten, stelde hij dat moment uit. 'We hebben iemand nodig die de bal voorin vast kan houden, zodat we even onder hun druk uit komen,' zei hij in de richting van de wisselspelers. Het was meer om zichzelf ervan te overtuigen dat hij Zahra in ging zetten dan dat hij de meiden op de bank van deze informatie wilde voorzien.

Een soepel verlopen aanval van de Angels leverde een enorme kans voor hun spits op, die door Jessica vakkundig uit het doel werd gehouden. Dat was voor Daniel het sein om in te grijpen. 'Zahra, loop je maar warm,' riep hij terwijl hij op zijn horloge keek.

'Nu al?' vroeg Zahra.

'Je speelt niet te lang. We moeten even onder hun druk uit komen.' Daniel zocht naar excuses.

Zahra strikte haar schoenen nog een keer. Ze had ze al vastgemaakt, maar niet te strak. Daarna kwam ze van de bank en begon aan haar warming-up langs de lijn. Ondertussen volgde ze de verrichtingen van haar team.

De Black Angels bleven veel sterker, maar langzaam maar zeker kwam er frustratie in hun team doordat het eerste doelpunt op zich liet wachten. Sommige speelsters begonnen tegen elkaar te mopperen als een pass niet aankwam of als iemand die vrij stond de bal niet kreeg.

Mooi, dacht Zahra, dat gaat de goede kant op. Als we dit nog een paar minuten volhouden en het spel meer van ons doel af kunnen brengen, zal dat gemopper alleen maar erger worden.

'Kun je al?' vroeg Daniel toen Zahra, na een paar keer heen en weer te zijn gelopen, weer bij de dug-out was.

'Eén keer nog.' Zahra wilde niet meteen tegen een spierblessure aanlopen. Ze had voor de wedstrijd goed meegedaan met de warming-up en de wedstrijd was nog geen tien minuten oud, dus ze was nog niet heel erg afgekoeld. Toch wilde ze het risico op een blessure tot het minimum beperken. Ze deed nog een paar rekoefeningen toen ze weer bij Daniel terug was en pakte daarna haar stick.

'Je staat midmid. Marit zakt terug naar voorstopper. Probeer zo veel mogelijk de bal van ons doel af te houden.' Daniel had zijn arm om haar heen geslagen. Dat deed hij vaak bij meisjes die op het punt stonden om in te vallen en nog snel een paar aanwijzingen kregen.

'Zal ik zelf aangeven als het niet meer gaat?' vroeg Zahra.

Daniel knikte. 'Dat is goed.'

Zahra rende het veld in en zocht haar positie op.

De bal was over de achterlijn gerold, waardoor Marit op het punt stond uit te slaan. In plaats van te slaan dreef ze de bal op en zocht naar een afspeelpunt.

Zahra bood zich aan en gaf met haar stick aan waar ze bal wilde hebben. Met een zuivere klap wist Marit Zahra te bereiken. Behendig draaide Zahra van haar tegenstandster weg. Ze had een paar meter ruimte om de bal op te drijven.

Charlotte, die door het dominante spel van de Black Angels nog nauwelijks in het spel was betrokken, kwam uit de dekking.

Zahra speelde haar direct aan en sprintte achter haar bal aan. Het was alsof ze niet weggeweest was.

Charlotte nam de bal mee naar de zijkant, waar de meeste ruimte lag. De voorstopper van de Angels drong niet aan, waardoor de spits even aan de bal kon blijven. Romy stond aan de rechterkant tegen de zijlijn aan en werd door Charlotte aangespeeld. Na haar pass rende ze door de hoek in. Romy nam de bal aan en flatste deze daarna in de loop van Charlotte.

Het was voor het eerst deze wedstrijd dat HCA de bal meer dan drie keer naar elkaar had overgespeeld. Het nodigde Daniel uit om zijn meiden nog harder aan te moedigen en van aanwijzingen te voorzien.

Charlotte pikte de bal nog net op voor hij over de zijlijn ging. Zonder te kijken, sloeg ze de bal voor het doel. Ze wist dat Zahra daar ergens moest zijn. Een soortgelijke aanvalsopzet hadden ze al in zo veel wedstrijden uitgevoerd.

Zahra was doorgelopen tot in de cirkel en kroop voor de verdedigster toen ze zag dat Charlotte de bal voor het doel zou slaan. Op de kop van de cirkel, iets rechts van het midden, liet ze de bal tegen haar stick rollen. Ze dreigde naar haar forehand, waardoor haar tegenstander probeerde voor haar te komen om het schot te blokken. Maar in plaats daarvan sleepte ze de bal onder zich door naar haar backhand. Het leek te lukken, maar op het laatste moment stuiterde de bal tegen de hak van het meisje van de Black Angels. Zahra stak meteen haar hand op, maar dat was niet nodig. De scheidsrechter had het ook gezien, floot en wees met twee handen naar de achterlijn voor een strafcorner.

'Lekker, Zaar,' riep Charlotte. Ze was na haar slag naar binnen gekomen omdat Zahra de bal ook nog wel eens naar haar terug wilde spelen na zo'n aanval.

Zahra stond hijgend voorovergebogen en leunde op haar stick.

Haar benen voelden aan alsof ze net een marathon gelopen had.

'Sla jij?' Marit was bij Zahra en Charlotte komen staan. Ook Romy kwam erbij om te overleggen hoe ze deze strafcorner zouden uitvoeren.

'Doen jullie het maar.' Zahra was er te lang niet bij geweest en wist niet of ze nieuwe varianten hadden ingestudeerd.

'Nee, joh,' zei Romy. 'We doen gewoon jouw sleeppush.'

Zahra pakte met duim en wijsvinger haar onderlip vast. 'Ik weet het niet.'

'Gewoon proberen, Zaar. Ik stop wel.' Marit was de vaste stopper van het team.

Waarom niet? dacht Zahra. Ze had niets te verliezen. 'Rustig aan,' zei ze tegen Romy, die de bal aan zou slaan. Zahra had tijd nodig om te herstellen en kon een paar seconden extra rust goed gebruiken. Ongelooflijk hoe hard je conditie achteruitgaat als je niet meer meetraint en wedstrijden speelt.

Romy wandelde naar de plek vanwaar ze de bal moest aanslaan. Ze legde aan en wachtte op het fluitje van de scheidsrechter. De bal had veel vaart, waardoor het leek of de verdedigsters iets te traag reageerden. Dat zou Zahra net iets meer tijd geven om de hoek uit te kiezen als Marit de bal goed zou stoppen.

Dat gebeurde en meteen daarna tikte de voorstopper de bal de cirkel in. Zahra nam de bal over en besloot de bal rechts van de doelvrouw te pushen. De eerste uitloopster was inderdaad te laat en probeerde met uitgestoken stick de actie toch nog te laten mislukken.

Zahra nam de bal even mee, liet de doelvrouw in het ongewisse in welke hoek de bal zou belanden en haalde daarna vol uit.

De verdedigster die in de hoek stond waar Zahra op gemikt had, zag de bal niet eens komen. Te laat deed ze haar stick boven haar hoofd, maar toen was de bal al via het net naar beneden gevallen en in het doel beland.

Zahra hoorde Daniel boven al het andere gejuich uit schreeuwen. Marit was het eerste bij haar en Zahra werd doof van het gegil toen alle andere meiden in een soort massale groepsknuffel om elkaar heen stonden.

Opgelucht en met een superblij gevoel liep ze vlak daarna terug naar haar eigen helft. Ze kon zich niet herinneren ooit zo onverdiend op voorsprong te zijn gekomen. HCA was nauwelijks over de middenlijn geweest en een 0-3-achterstand was op dit moment ook helemaal niet vreemd geweest. De vermoeidheid was uit haar benen verdwenen, maar Zahra wist dat die er snel weer zou zijn als de Black Angels het tempo op zouden schroeven om zo snel mogelijk de achterstand ongedaan te maken.

Zahra zocht met haar ogen de zijkant af en zag dat Jelle, samen met Timo, naast de dug-out bij Nikki was gaan staan. Alle drie zwaaiden ze naar haar toen ze zagen dat ze hun kant op keek. Het maakte Zahra nog blijer. Ze zuchtte. Ik ben terug, dacht ze. Heerlijk.

5

Zahra hield het nog tien minuten vol. Toen moest ze zich laten wisselen. Eigenlijk duurde het al te lang. De laatste minuten liep ze constant achter haar tegenstandster aan en was ze steeds een stap te laat bij de bal om er iets nuttigs mee te doen. HCA kwam dan ook, ondanks de aanwezigheid van Zahra op het middenveld, niet meer aan aanvallen toe. Het was verdedigen en tegenhouden en vooral hopen dat de Angels het vizier niet scherper zouden zetten dan het stond.

Hijgend nam Zahra plaats op de bank. Met haar ellebogen leunde ze op haar knieën en haar hoofd liet ze in haar handen rusten.

'Mooi doelpunt,' zei Daniel snel tussen het coachen door.

Zahra had niet de puf om dank je wel te zeggen. Ze had het gevoel dat ze een hele wedstrijd plus verlenging gespeeld had, terwijl het in totaal niet langer dan tien minuten waren geweest.

Na een paar minuten kwam ze op adem en leunde ze achterover. Zo kon ze het spel volgen en zag ze de Angels de gelijkmaker scoren. Een mooie aanval met snel samenspel binnen de cirkel werd door hun spits koelbloedig afgemaakt.

'Dit was echt een niet te missen kans.' Fleur, een van de verdedigsters die naast Zahra op de bank zat, liet zich onderuitzakken. 'Balen,' voegde ze eraan toe.

'Hier kon Jessica inderdaad helemaal niets aan doen,' vond ook Zahra. 'Het zou een wonder zijn geweest als ze die had gehad.'

Daniel baalde duidelijk, maar liet het niet aan de meiden in het veld merken. Hij probeerde ze op te peppen en moed in te praten. Nadat het spel was hervat, keek hij naar de dug-out. 'Zaar?'

'O nee,' reageerde Zahra. 'Dat is te snel. Je moet me even op adem laten komen. Als ik er nu alweer in moet en steeds maar vijf of tien minuten rust heb, dan heb ik vanaf morgen tot de kerst spierpijn.'

Fleur schoot in de lach. 'Dat is pas veel spierpijn.'

Daniel kneep zijn lippen op elkaar, maar legde zich bij de woorden van Zahra neer. Hij wist ook wel dat hij zuinig moest zijn op zijn beste speelster, maar het was zo aantrekkelijk om haar op te stellen.

Vlak voor rust kwamen de Angels op 1-2. De zoveelste strafcorner werd benut, maar wel pas in de rebound nadat Jessica de push van de aanvoerster van de Angels nog op miraculeuze wijze uit het doel had weten te houden.

'Nu wel, Zaar?' vroeg Daniel.

Zahra keek naar de klok. 'Wacht nou tot na de rust. Je hebt grote kans dat de Black Angels nu even rustig aan doen om met een voorsprong te rusten. En dan kan ik er na de rust weer even vol tegenaan.'

Daniel knikte.

De woorden van Zahra kwamen niet helemaal uit. De Angels gingen gewoon verder met waar ze mee bezig waren en wilden niets liever dan hun voorsprong uitbouwen. Gelukkig voor HCA lukte dit niet, waardoor de ruststand een alleszins acceptabele 1-2-achterstand was. Gezien het spelbeeld en het aantal kansen dat de koploper had gehad, konden de meiden van HCA daar alleen maar tevreden mee zijn.

In de rust probeerde Daniel nog wat dingetjes te verbeteren. Hij wees op kleine foutjes en dat ze positioneel af en toe iets anders moesten staan.

Maar Zahra wist dat het daar niet aan lag. Het niveauverschil tussen de Black Angels en HCA was gewoon te groot. Zij konden allemaal gewoon een stukje beter hockeyen. De handelingssnelheid lag hoger, de passing was nauwkeuriger en de snelheid van de bal was hoger. Verder waren ze feller in de duels en, niet onbelangrijk, hadden ze door hun koppositie veel meer zelfvertrouwen. Eigenlijk zou van alle speelsters van HCA alleen Zahra het niveau van de tegenstander van vandaag aankunnen, maar zij had de conditie van een mug na de winter.

Zahra stond na rust, zoals aangekondigd, meteen in de basisopstelling. De meiden van de Black Angels hadden in de tien minuten dat Zahra in de eerste helft had meegedaan wel door dat ze een van de betere speelsters was. Want ze wezen elkaar op de nummer 13, die nu weer meedeed. 'Kort op haar zitten,' had de voorstopper tegen de midmid gezegd.

Zahra gniffelde erom. Daniel had besloten haar in de spits te zetten en Charlotte naar het middenveld te laten zakken. Zo hoefde ze niet zo veel te lopen en kon ze haar energie over langere tijd verdelen. Goede zet, vond Zahra, hoewel ze in het verleden weleens met Daniel overhoop had gelegen omdat ze in de spits was gezet in plaats van op het middenveld.

De eerste aanval van HCA leverde meteen gevaar op. Een soepele combinatie tussen Charlotte en Zahra bracht de bal bij Romy aan de zijkant van het veld. Die passeerde haar tegenstandster en dreef de bal de cirkel in. Terwijl iedereen verwachtte dat ze een voorzet zou geven, sloeg ze vanuit het niets de bal met haar backhand op doel.

De doelvrouw van de Angels kon nog maar net met haar klomp redding brengen.

De lange hoekslag van links werd snel genomen, waardoor de verdediging van de Black Angels nog niet in positie stond. Zahra maakte hier gebruik van en benutte de ruimte om in de cirkel te komen. Door de bal terug te halen voor haar forehand hoopte ze een strafcorner te versieren. Maar de bal rolde langs de voet van haar verdedigster. Het gevolg was dat ze een uitstekende mogelijkheid kreeg om op doel te slaan. En juist nu was te merken dat Zahra er een tijdje tussenuit was geweest. Terwijl ze voorheen flitsend en met een korte beweging zou hebben uitgehaald en de doelvrouw negen van de tien keer kansloos zou hebben gelaten, had ze nu net iets te veel tijd nodig.

Hierdoor kon de al gepasseerde verdedigster zich herstellen en corrigerend optreden. Ze tikte de bal voor de stick van Zahra weg.

Een geluk bij een ongeluk was dat Romy precies op de plek stond waar de bal terechtkwam. Ze dacht geen seconde na en haalde verwoestend uit. De doelvrouw wist een minuut eerder nog redding te brengen, maar was nu volslagen kansloos. Twee minuten na rust trok HCA tegen alle verwachtingen in de stand weer gelijk.

In de spits spelen beviel Zahra een stuk beter. Doordat de Angels vaker in de aanval waren dan HCA, kon ze af en toe voorin even uitrusten. En aangezien de verdedigsters van de Black Angels de opdracht hadden gekregen om bij Zahra te blijven, hoefde ze niet mee te verdedigen. Toch vloeiden de krachten langzaam uit haar lijf en in de tweede helft rustte ze twee keer tien minuten op de bank uit. De eerste keer haalde Daniel haar naar de kant en de tweede keer nam Zahra zelf de beslissing. Dat was omdat een van de twee centrale verdedigsters vanaf dat moment van haar coach in moest schuiven. Blijkbaar vond hij het tijd om te forceren.

In die laatste periode dat Zahra op de bank zat, scoorden de Black Angels de 2-3. Weer was het de spits die scoorde. Ze reageerde alert toen de verdediging van HCA de bal niet weg kreeg en die in een scrimmage voor de stick van de spits terechtkwam. De aanvalster maakte dankbaar gebruik van de geboden kans.

Daniel sommeerde Zahra meteen om van de bank te komen. 'Nog iets meer dan vijf minuten. Alles of niets, Zaar.'

Zahra knikte. Die laatste vijf minuten kwam ze ook wel door. Ze dacht nog maar niet aan de spierpijn die ze morgen of misschien al vanavond zou voelen.

De Black Angels hinkten ineens op twee gedachten. Het midden-veld en de aanval wilden nu doorduwen en de wedstrijd beslissen, terwijl de verdediging een stapje terug deed om HCA makkelijker op te kunnen vangen. Hierdoor ontstond er ruimte tussen de ver-dediging en het middenveld van de koploper. De laatste vrouw had het in de gaten en probeerde door fanatiek te coachen het onheil te voorkomen.

Maar ook Zahra zag de mogelijkheden. Toen het spel even stillag, liep ze naar Charlotte toe en vertelde haar hoe ze moest bewegen. Zijzelf zou zo diep mogelijk spelen om de verdedigsters nog verder naar achteren te duwen. De tactiek leek te werken, want HCA kon de Black Angels terugduwen op hun eigen helft met twee strafcorners kort achter elkaar tot gevolg. De eerste werd door Zahra op doel gepusht en van de lijn getikt, en kwam op een voet van een van de verdedigsters terecht, met als gevolg een nieuwe strafcorner.

De meiden besloten nu dat Romy de bal op doel zou slaan. De bal vloog vlak langs de voeten van de uitloopster en langs de stick van het meisje dat op de lijn stond en kwam tot stilstand tegen haar voet. Zahra keek meteen naar de scheidsrechter, die goed opgesteld stond en het geconstateerd had. Hij kon niet anders dan een strafbal geven.

'Jij, Zaar?' vroeg Charlotte.

'Nee, joh.' Zahra schudde haar hoofd. 'Ik kan bijna niet meer op mijn benen staan.'

Romy legde haar hand op Zahra's schouder. 'Dat hoeft ook niet. Als je de bal er maar in pusht.'

Zahra zuchtte.

Marit kwam met de bal aanlopen en legde hem in Zahra's hand. Met een hoofdknik maakte ze duidelijk dat er geen discussie moge-lijk was en dat zij de strafbal moest nemen.

Zonder iets te zeggen, liep Zahra met de bal in haar hand de cir-kel in en ging bij de stip staan.

Alle wisselspeelsters waren van de bank opgestaan en stonden aan de rand van het veld. Er klonk geroezemoes in het publiek en een aantal spelers uit de E- en D-pupillen was aan komen rennen en stond achter het doel met hun handen in het hek.

Zahra voelde zich opmerkelijk rustig. Alsof het niets uitmaakte of ze zou scoren of missen. Ze wachtte met de bal in haar hand tot de doelvrouw van de Angels klaar was. Die had nog een tijdje bij de scheidsrechter geprotesteerd tegen zijn besluit om een strafbal te geven, maar zich uiteindelijk toch bij de beslissing neergelegd. Pas toen de doelvrouw naar haar doel was gelopen en op de lijn stond, legde Zahra de bal op de stip.

De scheidsrechter kwam nog even controleren of hij goed lag. Daarna deed hij een paar stappen terug. Met een armgebaar vroeg hij de doelvrouw of ze klaar was voor hij op zijn fluitje blies. Het schelle geluid snerpte door de gespannen stilte. Zelfs de kinderen achter het doel leken hun adem in te houden.

Zahra bleef nog even staan, checkte met haar stick nog een keer de afstand tot de bal en stapte toen vooruit. Haar stick plaatste ze half onder de bal.

Van tevoren had ze al bepaald waar ze de bal zou pushen. Haar favoriete hoek was die rechts van de doelvrouw. Maar dit keer koos ze voor de andere hoek. Dat kwam omdat haar tijdens de wedstrijd opgevallen was dat rechts de sterke hoek van de doelvrouw was. Grote kans dus dat ze voor die hoek zou kiezen. Het enige gevaar was dat ze de bal te veel zou scheppen en daardoor over het doel zou pushen. Dat was haar al een paar keer overkomen op training. Dat kon ze oplossen door de bal niet te veel snelheid mee te geven. Maar dat kon weer link zijn omdat, wanneer de doelvrouw wel voor de goede hoek zou kiezen, ze het schot makkelijker zou kunnen stoppen. Toch stond Zahra's besluit vast.

Zahra probeerde niet te snel bloot te geven waar ze de bal naartoe zou spelen. Pas op het allerlaatste moment draaide ze haar stick en pushte ze de bal richting de bovenhoek. Vlak daarna keek ze op om de bal na te kijken. Tot haar grote vreugde zag ze de doelvrouw de andere kant op stappen en de bal halfhoog tegen het net slaan. Om geen risico te lopen had ze nog zachter gepusht dan ze eerst van plan was geweest. Als de doelvrouw voor de goede hoek zou hebben gekozen, had het een heel slecht ingeschoten strafbal geleken.

Een fractie nadat Zahra doorhad dat ze de gelijkmaker had gescoord, klonk er gejuich op en om het veld. De speelsters van HCA renden op haar af en de wisselspeelsters joelden en sprongen langs de lijn. Daniel maakte een paar vreugdesprongen waar een turner jaloers op zou zijn. Het ongelooflijke was gebeurd, HCA stond met minder dan een minuut te gaan 3-3 gelijk tegen de Black Angels.

'Even volhouden nog,' schreeuwde Zahra, terwijl ze in haar handen klapte toen ze weer opgesteld stonden. Het is echt net of ik nooit weggeweest ben, dacht ze.

De Black Angels probeerden nog wel de aanval te zoeken, maar de overtuiging was uit het spel van de koploper verdwenen. Ze kwamen nog een keer in de cirkel, maar Marit dreef de spits naar de zijkant. Die probeerde de bal nog wel voor te slaan, maar hij belandde tegen de zijplank van het doel.

De scheidsrechter liet niet meer uitslaan en floot voor het einde van de wedstrijd.

HCA MC1 vierde het gelijkspel alsof ze kampioen waren geworden. Springend en juichend vielen ze in elkaars armen en hossend liepen

ze naar de dug-out, voor ze het veld vrij maakten voor de volgende wedstrijd.

In de kleedkamer was het een vrolijke bedoening. 'Ik denk dat we zeven procent balbezit hebben gehad,' lachte Daniel. 'En in die tijd scoren we drie keer en pakken we gewoon een punt tegen de koploper.' Hij schudde zijn hoofd van ongeloof. 'Deze week hard trainen en volgende week kun je een paar minuten langer spelen. Dan spelen we tegen HC Becilom en die staan vier punten achter ons. Als ze vandaag verloren hebben. Maar weer een belangrijke wedstrijd dus.' Speels bokste hij tegen Zahra's schouder.

Zahra zuchtte. Ze was blij dat ze nu alweer belangrijk was voor het team.

'Ging lekker, hè?' Nikki was naast Zahra komen zitten.

'Redelijk. Maar ik ben wel helemaal kapot.'

Nikki legde haar arm om de schouder van haar zus. 'Wat had je dan verwacht? Dat je superfit twee keer vijfendertig minuten voluit kon gaan?'

Zahra glimlachte. 'Nee, maar ik zal het morgen wel voelen.'

'Dat denk ik ook,' antwoordde Nikki. 'Maar het fijne is dat je weer hebt gespeeld en hun een punt hebt bezorgd.'

'*Ons* een punt hebt bezorgd.' Zahra keek haar zus doordringend aan. 'Nog een paar weken en dan doe jij ook weer mee.'

Nikki knikte. Ze kneep haar ogen halfdicht en keek naar de vloer. Uit alles bleek dat ze zelf nauwelijks kon geloven dat dat zou gebeuren.

Langzaam druppelde de kleedkamer leeg en vertrokken de meiden richting het clubhuis. Zahra en Nikki bleven samen met Romy over. Het was Zahra opgevallen dat Romy erg treuzelde tijdens het omkleden. Het leek wel of ze erop aanstuurde om als laatste de kleedkamer te kunnen verlaten. Zahra herinnerde zich dat haar eerder ook al iets kleins aan het gedrag van Romy was opgevallen. Het zou wel toeval zijn.

'Lekker doelpuntje, Room.'

Romy zat op de bank met haar ellebogen op haar knieën en haar hoofd gebogen. Nauwelijks zichtbaar knikte ze.

'Gaat het, Room?' Nikki trok haar wenkbrauwen op terwijl ze een verklaring zocht bij Zahra.

'Jawel.' Romy keek op en veegde de tranen uit haar ogen terwijl ze snikte.

Nikki ging naast haar zitten. 'Meisje toch, wat is er?'

De liefdevolle reactie van Nikki deed Romy breken. Het snikken ging over in huilen.

Nikki sloeg haar arm om de schouders van de vleugelspits en Romy legde haar hoofd op Nikki's schouder.

Zahra bekeek het van een afstandje. Ze was zoals zo vaak de laatste met omkleden. Ze deed haar schoenen aan en gooide haar hockeykleren op een stapel, die in het midden van de kleedkamer lag. Die stapel zou ze zo in de grote kledingtas stoppen en inleveren, zodat de kleren gewassen werden. Maar nu lag de aandacht eerst bij Romy.

'Ik kan niet,' snikte Romy.

'Het hoeft ook niet,' stelde Nikki haar gerust.

Het hoeft ook niet? dacht Zahra. Natuurlijk moet het. Ze wilde weten wat er met Romy aan de hand was. Je gaat toch niet zomaar in de kleedkamer zitten huilen?

Romy huilde nog even door, maar na een paar minuten kalmeerde ze. Ze maakte zich los uit de omhelzing van Nikki. 'Oké,' snifte ze nog even verder. 'Maar jullie mogen het aan niemand verder vertellen.'

Zahra knikte snel. Ze was heel nieuwsgierig.

'Het gaat om Jelle,' begon Romy. Ze wilde net verder vertellen toen de deur van de kleedkamer openzwaaide.

'Hé meiden, waar blijven jullie nou?' Charlotte stond in de deuropening. 'We zijn het gelijkspel tegen de koploper aan het vieren en jullie zitten hier een beetje zielig in de kleedkamer.'

'We komen zo,' reageerde Nikki als eerste.

'Even opschieten dan, want we zitten op jullie te wachten.' Charlotte draaide zich om en gooide de deur weer achter zich dicht.

Romy stond op. 'We moeten gaan.' Ze sprak nauwelijks verstaanbaar.

Helemaal niet, schreeuwde het binnen in Zahra. 'Weet je het zeker?' probeerde ze tijd te rekken.

Romy knikte, pakte haar tas van de grond en liep naar de deur. 'Kom,' zei ze. 'Blijkbaar hebben we iets te vieren.'

Nikki schudde haar hoofd en samen met Zahra liep ze achter Romy aan de kleedkamer uit.

In het clubhuis zaten de speelsters van de Angels tussen die van HCA om een grote tafel. Marit en Charlotte schoven iets op om de drie laatkomers er ook tussen te laten. Zahra keek het clubhuis rond en zag de jongens van de B1 rond een andere tafel staan. Timo en Jelle stonden naast elkaar en hadden veel lol. Ze stonden met hun rug naar de tafel van de meiden van de C1.

Zahra verlegde haar aandacht naar de groep waar ze bij zat. De gesprekken waren nog vrij algemeen, maar nadat de Angels waren opgestaan, gedag hadden gezegd en waren vertrokken, kwamen de meiden van HCA pas los. Het vieren van het gelijkspel hadden ze nog even uitgesteld uit respect voor de tegenstander. Veel wedstrijdsituaties werden besproken en hoe langer ze erover praatte, hoe duidelijker het werd dat het gelijkspel een wonder was.

Zahra ging zo op in de gezelligheid dat ze niet doorhad dat de B1-groep uit elkaar was en ze allemaal hun eigen weg gegaan waren.

Jelle was naar de tafel gelopen waar de meiden van de C1 zaten. Hij legde zijn hand op de schouder van Zahra. Die keek om. 'Loop even mee,' zei Jelle.

Zahra stond op.

'Je moet niet schrikken,' zei Jelle. 'En ik wil dat je rustig blijft.'

'Oké.' Zahra knikte erbij. Ze vroeg zich af wat er zo schokkend was dat ze ervan zou schrikken en er niet rustig bij kon blijven.

Jelle liep voorop en Zahra volgde hem. Ze wandelden door het halletje waar de bestuurskamer aan de ene kant was en de toiletten aan de andere kant.

Zahra vroeg zich af waar ze naartoe gingen.

Het leek of Jelle haar gedachten raadde. 'We gaan naar buiten.' Hij deed de deur open en liet Zahra er als eerste door.

'En nu?' vroeg Zahra.

Jelle pakte Zahra met twee handen bij haar schouders vast. 'Oké, Zaar, je moet goed naar me luisteren. Niet boos worden. Ze wil het gewoon goedmaken.'

'Wat bedoel je?' Zahra snapte er niets van.

'Wacht nou maar.' Jelle probeerde rustig over te komen, maar Zahra zag aan hem dat dat allerminst het geval was. Hij wenkte in de richting van de fietsenstalling.

Zahra voelde zich allesbehalve op haar gemak. Ze keek naar de fietsenstalling en zag een gestalte uit de schaduw van het afdak stappen. Meteen zag ze wie het was en ze draaide zich om. 'O nee, vergeet het maar.'

'Toe, Zaar,' probeerde Jelle haar te kalmeren. 'Probeer het.'

'Hoi Zahra,' hoorde Zahra achter zich. Ze draaide zich weer om en keek in het lachende gezicht van Chantal.

7

Chantal stak haar hand uit naar Zahra. 'Ik wil het graag goedmaken.'

Zahra voelde duizend emoties vanbinnen. Haat, woede en ongeloof waren de belangrijkste. Die drie schreeuwden om de meeste aandacht. Haat omdat Chantal was wie ze was. Een irritant en gemeen kind dat Zahra al talloze keren het bloed onder de nagels vandaan had gehaald. Altijd maar op zoek naar de confrontatie.

Woede omdat Chantals moeder Nikki had aangereden en zij en haar moeder dat verzwegen hadden en geprobeerd hadden ermee weg te komen. De aanrijding was een ongeluk, daar was Zahra nu wel van overtuigd. Maar de manier waarop Chantal haar moeder gechanteerd had om er zo voor te zorgen dat de dader nooit gepakt zou worden, was het ergste.

En ongeloof vanwege Jelle. Hoe haalde hij het in zijn hoofd om haar, zonder het aan te kondigen, in contact te brengen met dat kreng? Ongeloof ook dat hij dus eerder met Chantal contact had gezocht dan met haar.

Het overviel haar zo dat ze haar vroegere klasgenote apathisch stond aan te kijken. Overdonderd door de ontmoeting. 'Goedmaken?' was het enige wat ze uit kon brengen.

'Dat is toch niet zo gek?' Jelle stond glimlachend naast Chantal. 'Het ongeluk is alweer een tijdje geleden en op een gegeven moment moet je zoiets af kunnen sluiten, toch?'

Chantal knikte. Haar lach leek oprecht en de uitdrukking op haar gezicht was vriendelijk. Maar Zahra wist wel beter. Zij kende haar langer dan vandaag. Hoe vaak had ze niet gedacht dat Chantal iets meende of haar leven zou beteren en was ze daarna bedrogen uitgekomen?

'Afsluiten?' herhaalde Zahra.

'Ja toch?' Jelle praatte gewoon verder. Hij had niet in de gaten dat de ademhaling van Zahra versnelde en dat haar handen in vuisten waren veranderd die ze steeds harder samenkneep. 'Je kunt niet je hele leven met iets rond blijven lopen. Op een dag moet je daar klaar mee zijn en ga je verder met je leven zonder dat je iemand iets verwijt. Zeker niet als degene die het ongeluk veroorzaakt heeft er eigenlijk niets aan kon doen.'

Zahra hoorde de woorden van Jelle als een waas aan zich voorbijgaan. Het was alsof hij achter een raam stond en het geluid door het glas werd tegengehouden en alleen de klank van zijn stem tot haar doordrong. Toch begreep ze wel wat hij zei.

'En het was misschien wel net zo goed Nikki's schuld als mijn moeders schuld,' vulde Chantal Jelle aan.

Chantals opmerking en het geluid van haar stem deed iets knappen bij Zahra. Ze richtte zich tot Jelle omdat ze niet voor zichzelf zou instaan als ze tegen Chantal zou praten en naar haar onsympatieke gezicht moest kijken. 'Wat? Jij hebt niet gezien hoe hard Nikki heeft moeten vechten om alleen maar weer te kunnen lopen? Hoeveel pijn ze heeft gehad toen ze haar eerste stappen weer zette? Hoeveel verdriet ze had als het de volgende dag toch weer niet lukte?' Zahra wachtte even om haar emoties iets beter onder controle te krijgen.

Chantal maakte daar gebruik van. 'Niet overdrijven, Zahra. Nikki is natuurlijk altijd al kleinzerig geweest. Als ze op school was gevallen bijvoorbeeld, dan had je bij haar altijd het gevoel dat ze doodging. Zo stelde ze zich aan.'

Zahra knipperde met haar ogen. 'Niet slaan,' hoorde ze een stem in haar hoofd meerdere keren na elkaar zeggen. Het was Nikki's stem en alleen dat deed haar woede temperen tot een niveau waarop ze gewoon kon blijven praten. Ze deed een stap in Jelles richting en ging vlak voor hem staan. 'Als je een klein beetje meer interesse had getoond in mij, maar vooral in Nikki, dan had je geweten hoe erg Nikki eraan toe is geweest. En dan had je ook geweten wat de gevolgen voor haar zijn. En hoe niet alleen zij, maar ons hele gezin eronder geleden heeft.'

'Typisch Zahra,' onderbrak Chantal haar. De vriendelijkheid was uit haar gezicht verdwenen 'Haar zus is gewond geraakt en zij heeft eronder geleden. Als de aandacht maar naar koningin Zahra gaat, zoals altijd.'

Zahra slikte. Ze probeerde de woorden van Chantal te negeren en bleef tegen Jelle praten. 'Maar nee, jij liep met een grote boog om ons heen. Want stel je toch eens voor dat je iemand moet helpen of ondersteunen. Dat zou pas een ramp zijn. Dat kan je tere zieltje niet aan, natuurlijk. Jij bleef lekker veilig thuis of met vrienden gamen en wachten tot alles voorbij was en je gewoon weer verder kon zo-als daarvoor.'

Jelle had een stap achteruit gedaan en liet de woordenstroom van Zahra over zich heen komen. Zijn gezicht stond strak en zijn ogen keken eerder angstig dan beledigd.

Chantal kwam juist naar voren. 'Ik logeer bij Jelle,' zei ze zacht. Ze probeerde de preek van Zahra te onderbreken.

Zahra draaide kort haar hoofd in Chantals richting. 'Hou je bek, trut.' Meteen keek ze weer naar Jelle. Die was duidelijk van slag en hoorde niet eens wat Zahra tegen Chantal had gezegd.

Langzaam drongen de laatste woorden van Chantal tot Zahra door, terwijl ze tegen Jelle zei: 'En dat je dan, als ik je voor het eerst weer zie, meteen haar meeneemt …' Met een hoofdknik gaf ze aan wie ze bedoelde. '… zegt meer dan genoeg. Dan weet je niet wat er in mij omgaat en wat ik wel en niet belangrijk vind. Met zo iemand wil ik niet samen zijn.'

Jelle leek totaal overdonderd. 'Maar kijk … Ik bedoel …' stotterde hij. Hopeloos zwaaide hij met zijn armen. 'Het was, nou ja, je weet wel.' Met zijn ogen zocht hij steun bij Chantal.

Die greep de uitnodiging met beide handen aan. 'Weet je, Zahra, dat is nou het verschil tussen jou en mij. Ik kom hier om het goed te maken. Om te kijken of we als twee volwassen mensen gewoon met elkaar kunnen omgaan. En wat doe jij? Jij wijst meteen met een beschuldigend vingertje richting Jelle. Uitgerekend de jongen die dit georganiseerd heeft. Want denk je dat ik stond te springen toen hij dit voorstelde? Nou, echt niet. Maar ik kon me er wel overheen zetten en heb mijn trots aan de kant geschoven om je te ontmoeten en om het uit te praten. En jij? Als dank duw je Jelle gewoon bij je vandaan.'

'Als dank?' Zahra voelde de woede vanaf haar maag omhoogkruipen en haar vervolgens bij de keel grijpen. Ze schudde haar hoofd.

'Vind je het gek dat Jelle mij meer ziet zitten dan jou?'

Zahra merkte dat ze dit niet ging winnen. Ze zette haar meest arrogante gezicht op en zei: 'Je mag hem hebben.' Daarna liep ze naar Jelle toe. 'Jij valt me zwaar tegen. En als het nog niet uit was, dan is het dat nu.' Zahra draaide zich om en liep terug naar het clubhuis.

'Het was al uit, want hij heeft weer verkering met mij,' riep Chantal. 'En tot maandag op school.'

Zahra deed net of ze niets hoorde, banjerde verder en smeet de deur van het clubhuis achter zich dicht. Uit het zicht van Jelle en Chantal brak ze. Ze kon haar tranen niet meer bedwingen. Snikkend van verdriet en bevend van boosheid leunde ze, met haar handen voor haar gezicht, tegen de muur naast de deur van de bestuurskamer. Even later voelde ze een arm om zich heen.

'Wat is dit?' Marit was uit het toilet gekomen en zag haar teamgenote staan. 'Wat is er?'

Zahra schudde haar hoofd. Ze was nog niet in staat om iets te zeggen. En eigenlijk wilde ze dat ook niet.

Het was te complex om het in een paar woorden uit te leggen.

Marit voelde het aan en vroeg niet verder. Toen de tranen gedroogd waren en het grootste verdriet weggeëbd was, nam Marit Zahra mee naar de plek waar de meiden zaten.

Nikki had meteen in de gaten dat er iets met haar zus aan de hand was. Ze zocht eerst oogcontact, maar toen Zahra daar niet op reageerde, liep ze om de tafel heen en ging ze naast Zahra zitten.

Zacht pratend vertelde Zahra wat er zojuist gebeurd was, maar Charlotte, die naast de tweeling zat, ving het een en ander op. Hierdoor mengde ze zich in het gesprek en al snel werd het onderwerp door de hele groep besproken.

Alle meiden vonden het belachelijk dat Zahra op deze manier aangesproken was en Jelle vonden ze maar een eikel.

'Goed dat het nu definitief uit is,' had Jessica gezegd. 'Ik vond hem toch al geen type voor jou.'

Zahra had vriendelijk geglimlacht, maar voelde ook de pijn dat ze hem nu definitief kwijt was en de jaloezie dat Chantal hem nu weer voor zich alleen had.

'Het komt echt allemaal wel goed,' had Marit nog gezegd. 'Nikki hockeyt straks weer lekker met ons mee, jij gaat weer voor Jong Oranje spelen en wij degraderen niet.'

'Klopt,' had Charlotte eraan toegevoegd. 'En Chantal zie je nooit meer en Jelle laat je lekker verkering hebben met die feeks. Zijn verdiende loon.'

De meeste meiden schoten in de lach.

'Chantal is maandag gewoon weer op school,' zei Zahra.

Nikki zuchtte. 'Dat meen je niet? Ik dacht dat ze voorgoed naar een andere plaats waren vertrokken.'

Zahra trok een raar gezicht. 'Dat dacht ik ook. Maar blijkbaar is ze terug. Ze zei dat ze bij Jelle logeert.'

Nikki liet zich achterovervallen. 'Wat een drama.'

Dat vond Zahra ook. Ze hoopte dat ze zich zou kunnen inhouden als Chantal haar weer zou uitdagen.

'Waarom zou ze terug zijn?' vroeg Marit. 'Het is toch onlogisch om terug te komen naar de plek waar je zo veel ellende hebt veroorzaakt?'

'Heimwee misschien?' zei Charlotte.

'Dat kan niet.' Zahra grinnikte. 'Dat kind heeft geen gevoel, dus kan ze ook geen heimwee voelen.'

Weer klonk er gelach in de groep.

'Zij en haar moeder komen een schadeclaim indienen tegen Nikki.' Vanuit een hoek klonk de stem van Romy. Ze had zich de hele tijd buiten het gesprek gehouden. Na haar woorden viel er een stilte.

Zahra keek naar Romy. Ze dacht eerst dat ze een grap maakte, maar Romy's gezicht bleef ernstig staan. 'Schadeclaim? Hoe weet jij dat?'

Romy had het er zichtbaar moeilijk mee. 'Mijn vader is advocaat, zoals jullie weten. Chantals moeder heeft mijn vader benaderd en ze bereiden een schadeclaim voor.'

'Omdat het glas van haar koplamp kapot is?' vroeg Charlotte.

Even was er een glimlach op Romy's gezicht te zien, maar die verdween snel. 'Ik weet er het fijne niet van. Ik hoorde mijn vader en moeder erover praten. Ze hadden ruzie, want mijn moeder wilde niet dat hij de opdracht aannam en mijn vader wilde het wel.'

'Dus je weet niet wat de aanklacht precies is?' Nikki was weer rechtop komen zitten.

'Geen flauw idee,' antwoordde Romy.

'Heb jij iets tegen papa of mama gezegd?'

'Waarover?' Zahra stond voor de spiegel haar haren te borstelen. Ze antwoordde op automatische piloot. Haar gedachten waren bij Jelle en Chantal. Het slechte gevoel van de dag ervoor was nauwelijks verminderd.

'Over de mogelijke aanklacht.' Nikki lag half op Zahra's bed.

'Ik dacht dat jij dat wel zou vertellen.'

'We weten toch niet of het waar is.'

Zahra stopte met borstelen en draaide zich om. 'Hoezo? Denk je dat Romy liegt?'

'Dat niet, maar het kan toch zijn dat haar vader alsnog besluit de opdracht niet aan te nemen.'

Zahra snoof. 'Chantal en haar moeder kennende, gaan ze dan op zoek naar een andere advocaat.'

'Maar waar gaan ze me dan voor aanklagen?' Nikki kwam overeind.

Zahra kwam naast haar zus zitten. Ze had de trilling van emotie in Nikki's stem gehoord. 'Ik weet het niet. Het vervelende is dat jij je niets meer van het ongeluk kunt herinneren. Dus ze kunnen van alles verzinnen.' Zahra legde haar arm om de schouders van Nikki en trok haar tegen zich aan. 'Maar daar hoef jij je helemaal geen zorgen om te maken. Het zal allemaal wel meevallen.' Ze gaf haar een kus op haar voorhoofd, stond weer op en ging verder met borstelen. 'En ze kunnen toch niets bewijzen, want Chantal, haar moeder en jij zijn de enigen die bij het ongeluk waren.'

'Tenzij ze iets hebben waaruit blijkt dat ik wel schuldig ben.'

Zahra keek in de spiegel naar haar zus. 'Dan hadden ze dat toch al veel eerder naar voren gebracht?'

'Denk je?'

'Tuurlijk. Dit is weer zo'n wanhoopsactie van die bitch.'

'Ik hoop het.' Nikki pakte de laptop van Zahra, legde die op haar knieën en klapte hem open. 'Je hebt een Facebookbericht.'

'Van wie?'

Nikki drukte op een paar toetsen. 'Van ene Bradley Komrooy.'

'Wie?' Zahra stopte weer met borstelen. 'Nooit van gehoord. Wat schrijft hij?'

Nikki's ogen vlogen over het scherm. 'Hij wil met je afspreken.'

'Wat? Hoe ziet hij eruit?'

'Zaar, schaam je.' Nikki grinnikte. 'Ik zal hem even opzoeken.'

'Ik ben niet eens vrienden met hem.'

Nikki checkte de Facebookpagina van de jongen. 'Leuke knul.'

'Echt?' Ze ging weer naast Nikki zitten en keek met haar zus mee. 'Hm, inderdaad niet slecht.'

Nikki scrolde. De meiden bekeken de foto's die Bradley op Facebook had gezet en alle andere informatie.

'Hij heeft niet veel vrienden.' Zahra wees op het getal 35. 'En ik heb één gemeenschappelijke vriend. Raad eens wie dat is?'

Nikki bewoog de cursor naar het vriendenicoontje en drukte erop en daarna nog eens op de gemeenschappelijke vrienden. 'Chantal.'

Zahra zuchtte. 'Een vriend van Chantal die een afspraak met mij wil maken. Laat me het bericht eens lezen?'

Nikki zocht naar het bericht en legde de laptop daarna op Zahra's schoot. 'Ik moet plassen.'

Zahra klapte de laptop iets verder open zodat ze het goed kon zien en las:

Beste Zahra,

Je kent me niet, maar toch wil ik vragen of je een keer met mij wilt afspreken. Het gaat over iets wat ik je niet via Facebook of mail wil vertellen. Overal zijn oren die meeluisteren of ogen die meekijken. Laat maar weten wanneer het jou het beste uitkomt. Het is belangrijk.

Gr.

Brad

Zahra herlas het bericht en dacht na. Ze probeerde in haar hoofd te zoeken naar een glimp van deze Bradley. Had ze hem ooit eerder gezien of ergens ontmoet? Misschien een keer waar Chantal bij was. Ze klikte op zijn foto en bekeek hem goed. Een knappe jongen met bruin, golvend haar. Hij stond glimlachend op de foto en zo te zien was die in een café gemaakt. Op de achtergrond zag Zahra een foto van een voetbal- of hockeyelftal. Nee, het was een hockeyteam, want de doelman lag in zijn keepersoutfit voor de andere spelers. Het zal wel een clubhuis zijn, dacht Zahra.

'Zou het een loverboy zijn?' Nikki was Zahra's kamer weer binnengelopen.

Zahra schoot in de lach. 'Een loverboy?'

'Nou, dat hoor je anders regelmatig, hoor.' Nikki was een tikje beledigd doordat Zahra moest lachen.

Zahra bekeek de foto nog eens. 'Zo knap is hij nou ook weer niet.'

'Hoe oud is hij eigenlijk?'

Zahra zocht via de infobutton naar Bradleys geboortedatum. 'Hij is zeventien.'

'Nou, Zaar, dan ga je er wel op vooruit. Jelle is pas zestien.'

'Hij wil geen verkering met me. Hij wil afspreken.'

'Ja, zo begint dat.' Nikki trok een raar gezicht. 'Maar je weet hoe die jongens zijn.' Ze lachte om haar eigen opmerking. 'Woont hij in Almkerk?'

'Ja.'

'Ga je nog antwoorden?' Nikki was benieuwd of haar zus op de uitnodiging in zou gaan.

'Ga je nog tegen mama en papa zeggen dat we een schadeclaim krijgen?' ontweek Zahra de vraag met een wedervraag.

Daar hoefde Nikki niet lang over na te denken. 'Nee. Laat die claim eerst maar komen, dan zien we wel verder. Romy was behoorlijk vaag, dus ik ga ze niet ongerust maken voor het echt zo is.'

'Verstandig,' antwoordde Zahra. Zij zou het wel meteen aan hun ouders hebben verteld. Al was het maar om advies te vragen wat ze moest doen en hoe ze moest reageren als iemand erover begon.

'En nu antwoorden op mijn vraag.'

Zahra trok haar mondhoeken naar beneden. 'Wat vroeg je ook alweer?'

Nikki glimlachte. 'Of je die jongen nog gaat antwoorden.'

'Misschien straks,' stelde Zahra de beslissing uit.

Nikki haalde haar schouders op. Ze pakte haar mobiel en ging in de stoel in de hoek zitten. Ze trok haar benen op en maakte zich klein.

Zahra bleef bewegingloos naar het scherm van haar laptop kijken, overdenkend of ze met Bradley moest afspreken. Ze was wel erg nieuwsgierig wat hij te melden had en er stond dat het belangrijk was. Maar om nou alleen met hem af te spreken, dat vond ze ook weer niet prettig. Straks had Nikki toch gelijk en was hij een loverboy. Of iemand die de Facebookpagina van die Bradley gehackt had en haar onder zijn naam een uitnodiging stuurde. 'Kun je een Facebookpagina hacken?'

Nikki keek op van haar mobiel. 'Weet ik veel. Vast wel.'

'Dan ga ik echt niet in mijn eentje naar die afspraak.'

'O, je gaat wel met hem afspreken?' Nikki probeerde niet te lachen.

'Maar niet alleen. Wil jij met me mee, Nik?'

'Misschien wil hij dat helemaal niet. Als jij verkering aan iemand gaat vragen, wil je toch ook niet dat zijn broer erbij is?'

'Even serieus, Nik.' Zahra had geen zin in de geintjes van haar zus. 'Ga je met me mee of niet?'

'Natuurlijk.' Nikki stond op. 'Je denkt toch niet dat ik je alleen laat gaan?'

'Oké.' Zahra zette haar vingers op het toetsenbord. 'Daar gaan we.'

Nikki kwam naast haar zitten en na een minuut of tien waren ze het eens over de tekst.

Beste Bradley,

Ik ken je inderdaad niet. Als het echt heel belangrijk is, dan moeten we maar een keer afspreken. Als je in een antwoord het nummer van je mobiel doorgeeft, dan zal ik je bellen.

Groetjes,

Zahra

'Zo doen?' vroeg Zahra.

'Ja. Zo hou je het initiatief bij jezelf. Hij weet niets meer van je dan hij nu al weet en je hebt nog even bedenktijd. Als hij antwoordt en je wilt toch niet, dan kun je er nog steeds onderuit.'

'Heel goed.' Zahra was blij dat ze het zo gedaan hadden. 'En jij gaat mee, hè?'

Nikki knikte. 'Absoluut.'

'Heb je nog een reactie gehad van Bradley?' Nikki vroeg het tijdens het ontbijt op het moment dat hun moeder even naar de keuken liep.

'Ik heb nog niet gekeken. Als papa ziet dat ik 's ochtends al op mijn laptop zit, krijg ik meteen een preek.'

Nikki glimlachte. Ze wist dat hun vader er een hekel aan had als ze zo vroeg al met hun laptop of mobiel aan de slag gingen. 'Heb je niet stiekem even gekeken?'

Zahra schudde haar hoofd. Ze had net een stuk brood in haar mond gestopt. 'Ik doe het zo wel even,' sprak ze nauwelijks verstaanbaar met volle mond.

'Papa en mama hebben het niet over een claim gehad, toch?' Nikki fluisterde nu.

'Het was gisteren zondag, Nik.' Zahra draaide met haar ogen.

Nikki keek verontwaardigd. 'Het kon toch dat de vader van Romy gemaild had? Die advocaten werken dag en nacht.'

'Zal vandaag wel komen. Als het komt.'

'Ik ben benieuwd of Chantal vandaag echt op school is,' veranderde Nikki van onderwerp omdat hun moeder de woonkamer weer binnen was gekomen.

'Chantal?' reageerde hun moeder meteen. 'Dé Chantal?'

Zahra keek Nikki verwoestend aan. Ze had nog helemaal niets over haar ontmoeting met Chantal aan haar moeder verteld. En nu gooide Nikki het zo voor haar voeten.

Nikki schrok van de blik van Zahra, maar begreep meteen wat haar zus bedoelde.

'Nik?' drong hun moeder aan.

'Ehm,' probeerde Nikki tijd te rekken. Ze zocht steun bij Zahra.

Zahra sloot even haar ogen en opende ze meteen weer. 'Ik heb Chantal gezien bij de hockeyclub.'

'O?' Hun moeder zette de kopjes neer die ze wilde opruimen en ging tegenover Zahra aan tafel zitten. 'Wat zei ze?'

'Ze was met Jelle meegekomen enne …' Verder kwam ze niet.

'Met Jelle?' Hun moeder praatte nu luider. 'Waarom?'

Zahra haalde haar schouders op. 'Dat weet ik ook niet, mam.'

Nikki merkte dat er berusting doorklonk in Zahra's stem. Het lijkt wel of ze zich er al bij neergelegd heeft dat ze Jelle kwijt is, dacht ze. 'Hij had haar meegenomen,' schoot ze haar zus nu te hulp. 'Ze logeert zelfs bij hem.'

'En vandaag is ze gewoon op school?' Hun moeder kon er duidelijk niet bij. 'Belachelijk.'

Zahra begreep wel waarom ze zo van streek was. Ze zag Chantal en haar moeder als de schuldigen van wat Nikki was overkomen. Dat zij er ongeschonden waren afgekomen en haar Nikki zwaargewond was en een heel revalidatieproces had moeten doorlopen, vond ze erg onrechtvaardig. En dat kon ze niet verbergen.

'Chantals leven gaat ook gewoon door, hoor, mam,' vond Nikki. 'Dat zij naast haar moeder zat, wil nog niet zeggen dat ze schuldig is aan wat mij is overkomen.'

'Nee, maar ze heeft ons wel onnodig laten lijden omdat ze verzwegen heeft dat zij jou aangereden hebben. En als ze meteen 112 hadden gebeld in plaats van eerst alle sporen uit te wissen, dan was je er misschien een stuk minder erg aan toe geweest.'

'Dat zullen we nooit weten,' zei Nikki zacht.

Zahra had ontzettend veel bewondering voor de manier waarop Nikki hiermee omging. Ze nam het gewoon op voor de vrouw die haar aangereden had en verantwoordelijk was voor de moeilijkste periode uit haar leven. Zijzelf zou dat zeker niet kunnen.

Haar moeder vond dat blijkbaar ook. Want toen ze met de kopjes langs Nikki liep, aaide ze haar liefdevol over haar hoofd.

'We moeten gaan, Zaar.' Nikki stond op.

'Nu al?' Zahra keek op de klok. 'We hebben nog vijf minuten, hoor.'

'Je moet even naar boven en kijken of Bradley al gereageerd heeft,' fluisterde Nikki.

Zahra stond meteen op. 'O ja.' Ze liep naar de hal. 'Ik moet nog even wat halen,' riep ze zo hard dat ze zeker wist dat haar moeder het ook zou horen.

Nikki glimlachte. Zo lag het er wel heel dik bovenop, maar haar moeder had niets in de gaten. Hoe snel ze het gedaan had, wist Nikki niet, maar een paar minuten later kwam ze alweer naar beneden. In die tijd kon Zahra nooit haar laptop aangezet, Facebook gecheckt en alles weer afgesloten hebben. 'Dat is snel.'

'Ik had hem al aangezet toen ik naar beneden ging,' legde Zahra uit.

'En?'

'Vanmiddag om vier uur bij de eikenboom op het plein.'

'Echt?' Nikki dacht na. 'Heb je geantwoord?'

Zahra knikte.

'Spannend.' Nikki pakte haar rugzak, die in de hal stond. 'We gaan, mam.'

'Doei, lieverds,' hoorde de tweeling vanuit de woonkamer. 'En doe voorzichtig.'

'Doei,' riep Zahra.

Door de keuken liep de tweeling naar de achterdeur. Vijf minuten later zaten ze op de fiets naar school.

Mara rende op Zahra en Nikki af toen ze de school binnenliepen. 'Drie keer raden wie er is.'

'Sinterklaas?' grapte Zahra.

'Chantal.' Mara was alweer vergeten dat ze Zahra en Nikki drie kansen zou geven.

Nikki legde haar twee handen op Mara's schouders. 'We weten het. Zahra heeft haar al ontmoet.'

'Echt waar? Heb je haar geslagen?'

Zahra lachte. 'Het scheelde niet veel.'

'Was ze irritant?' Suzanne was bij de drie meiden aangesloten en luisterde mee.

'Bloedirritant.' Zahra maakte een gebaar alsof ze een handdoek uitwrong.

'Nou, dat wordt lachen dan vandaag. Ik ben benieuwd hoe ze zich gedraagt.' Mara maakte een grommend geluid.

'Dat weet je dus nooit.' Zahra hield haar hoofd een beetje schuin. 'Ze blijft zo onbetrouwbaar als ik-weet-niet-wat.'

'We gaan naar de klas.' Nikki liep voor de anderen uit naar de trap. Het eerste uur hadden ze Duits op de eerste verdieping.

Mara en Suzanne bleven tegen Zahra praten.

'Wel rustig blijven, hoor, Zaar,' zei Mara.

'Ben je mal?' vond Suzanne. 'Als ze je uitdaagt of rot tegen je doet, dan moet je gewoon van je afbijten.'

'Waarom zou ze?' Mara deed haar armen wijd. 'Die trut heeft hun al genoeg ellende bezorgd. Het wordt nu tijd om terug te betalen.'

Daar was Suzanne het niet mee eens. 'En dan weet ze het weer zo te spelen dat Zahra de schuld krijgt en zij er weer mee wegkomt. Nee, daar heb je wat aan.'

'Meiden.' Nikki draaide zich om. 'We gaan de strijd niet aan en laten haar gewoon links liggen. We reageren nergens op en doen net of ze niet bestaat.'

'Dat is misschien het beste,' was Zahra het met haar zus eens. Maar ze vroeg zich af of ze dat zou kunnen. Bij het clubhuis had het haar heel veel moeite gekost en was de schok van de plotselinge verschijning van Chantal er de oorzaak van dat ze zich kon beheersen.

'Niet misschien, Zaar. Niet misschien.' Nikki had geen zin in geruzie.

De deur van de klas stond open. Van de andere kant kwamen ook jongens en meisjes aanlopen. Ze hingen hun jas aan de kapstok en liepen de klas in. De vier meiden deden hetzelfde.

'Ze zit er al,' zei Mara zacht. De opwinding was aan haar trillende stem te horen.

'Best,' antwoordde Zahra meer relaxed dan ze zich voelde. Ze keek opzij naar Nikki. Voor haar zus was het de eerste keer dat ze Chantal zou ontmoeten sinds het ongeluk. Nikki lag nog in het ziekenhuis toen Chantal en haar moeder naar een andere plaats verhuisden, volgens de berichten voorgoed. Nu bleek dat het tijdelijk was.

Nikki leek erg rustig. Ze ademde regelmatig en haar gezicht stond ontspannen.

Als er een is die zich niet kan beheersen, dan ben ik het, dacht Zahra. En ze realiseerde zich dat ze het aan haar zus verplicht was om kalm te blijven. Als Nikki het kon, moest het haar ook lukken.

Nikki ging als eerste de klas in. Ze lette niet op Chantal en liep regelrecht naar haar plek.

Op het moment dat Nikki binnenkwam, stond Chantal op en liep ze zo door de klas dat haar pad dat van Nikki zou kruisen.

Nikki kon niet om haar heen doordat de tafeltjes zo dicht tegen elkaar aan stonden dat er maar één persoon tegelijk tussendoor kon. Het onvermijdelijke gebeurde en Nikki en Chantal stonden recht tegenover elkaar met de gezichten naar elkaar toe.

10

Nikki en Chantal stonden een paar seconden zwijgend tegenover elkaar. Zahra was nog bij de deur. Voor ze het wist, was Nikki bij haar vandaan gelopen. Niet dat ze haar anders had tegengehouden, maar op dit moment had ze toch liever iets dichter bij haar zus gestaan. Nu stonden er klasgenoten tussen haar en het tweetal in. Ze vond het te ver gaan om zich tussen hen door te wringen.

'Ik wil sorry zeggen voor alles wat er met je gebeurd is,' begon Chantal. 'Mijn moeder en ik hebben vaak aan je gedacht en steeds gehoopt dat alles weer goed zou komen. Ik ben dan ook blij je hier weer zo te zien.'

Nikki bewoog haar hoofd langzaam op en neer. Het was niet snel genoeg om het knikken te noemen, maar wel zo dat het leek of ze de excuses aanvaardde.

'Ik hoop dat je mij en mijn moeder kunt vergeven en dat we normaal met elkaar om kunnen gaan zonder dat het ongeluk en alles wat daarna gebeurd is tussen ons in blijft staan.'

Het klinkt verdorie nog gemeend ook, dacht Zahra. Ze bewoog voorzichtig in de richting van Nikki en Chantal. Maar vanbinnen voelde ze een enorme weerstand groeien.

'Er is nogal wat gebeurd om het zomaar even te vergeten,' zei Nikki. Ze had de woorden van Chantal wel gehoord, maar tegelijk gezien hoe weinig emotie er op Chantals gezicht te zien was.

Zahra had zich langs haar klasgenoten gewurmd en stond nu vlak achter Nikki. Verder ging ze niet.

Chantal keek kort van Nikki naar Zahra, maar meteen ook weer terug. 'Ik weet het, maar wat gebeurd is, kun je niet terugdraaien.'

Van achteren kon Zahra goed zien dat Nikki's ademhaling versnelde. Zou het door boosheid komen of had ze gewoon moeite met het feit dat Chantal vlak voor haar stond?

'Dat klopt.' Nikki bleef opmerkelijk rustig.

Chantal stak haar hand uit naar Nikki. 'Zullen we dan maar met een schone lei beginnen?'

Nikki boog haar hoofd en keek naar Chantals hand.

'Niet doen.' Zahra kon zich niet langer bedwingen. 'Trap er niet in, Nik. Ze wil zichzelf schoonpraten en straks gebruikt ze dit als ze die claim indient.' Bewust keek Zahra in Chantals ogen. Ze wilde haar reactie zien toen ze het woord 'claim' liet vallen. Als ze dat echt van plan was, zou ze moeten schrikken. Chantal wist immers niet dat Romy het hun had verteld. Maar tot haar verrassing reageerde Chantal eerder verrast, alsof ze dit zelf voor het eerst hoorde.

'Claim? Wat voor claim?' vroeg Chantal.

Zahra moest nu doorzetten. 'Doe nou maar niet of je van niets weet. Wij weten heus wel wat jullie van plan zijn. We hebben zo onze connecties die ons allang geïnformeerd hebben.' Ze bleef Chantal observeren, maar bleef in haar rol.

'Dan zou ik die connecties nog maar eens vragen of ze niet gedroomd hebben.' Chantal glimlachte ontspannen. Te ontspannen om zich in het nauw gedreven te voelen, vond Zahra. 'Waarvoor zouden wij een claim indienen? En bij wie? We mogen blij zijn dat jullie geen schadevergoeding hebben geclaimd voor wat Nikki is overkomen.'

Zahra viel stil. Dit waren dezelfde vragen die zij zichzelf ook had gesteld. Chantal kwam akelig overtuigend over en er leek nu geen enkele aanwijzing meer dat ze een claim aan het voorbereiden waren.

'Misschien moet jij je er gewoon niet mee bemoeien.' Chantal richtte zich nu direct tot Zahra. Haar ogen spuwden ineens vuur en haar houding was agressief. 'Ik sta hier met Nikki te praten en niet met jou.'

'Nou, nou, rustig maar.' Zahra jubelde vanbinnen. Juist op het moment dat ze dacht dat ze echt de plank had misgeslagen, gebeurde dit. Chantal stond blijkbaar toch onder iets meer spanning dan ze liet zien.

'Rustig maar?' Chantal ging steeds harder praten. 'Jij verpest altijd alles. Met je irritante opmerkingen en je leugens.'

Zahra voelde zich ineens heel kalm worden. 'Poepoe.'

Nikki hield zich afzijdig en haar hoofd bewoog heen en weer tussen Zahra en Chantal, alsof ze naar een tenniswedstrijd aan het kijken was.

'Poepoe,' praatte Chantal Zahra overdreven na. 'Wat nou, poepoe? Jij moet eens leren je bek houden als grote mensen met elkaar praten.' Chantal haalde een keer diep adem en deed tegelijk even haar ogen dicht. Toen ze ze weer opende, keek ze naar Nikki. Ze stak haar hand weer uit. 'Schone lei?'

Nikki knipperde een paar keer snel achter elkaar met haar ogen. 'Nee, daar is het nog te vroeg voor.' Ze duwde Chantal zachtjes aan de kant en liep naar haar plek achter in de klas. Nikki had steeds tussen Chantal en Zahra in gestaan, maar nu ze wegliep, stonden de twee rivalen oog in oog.

Chantal stond de weigering van Nikki nog te verwerken. Zahra gooide nog wat olie op het vuur door haar triomfantelijk glimlachend aan te kijken. 'Veel te vroeg,' zei ze zacht voor ze langs Chantal liep om naast Nikki te gaan zitten. Op het moment dat Zahra Chantal passeerde, stak Chantal haar been uit en tilde het een stukje van de grond. Zahra kon het niet zien en struikelde half. Ze kon ternauwernood op de been blijven en toen ze haar evenwicht hervonden had, sloeg ze als schrikreactie met haar rechterarm naar achteren.

Ze raakte Chantal half op haar schouder en half in haar nek. De klap was niet hard, maar Chantal reageerde alsof ze een klap van de wereldkampioen kickboksen had gekregen. Luid krijsend en naar haar nek grijpend, stortte ze op de grond.

Zahra was niet de enige die van het geschreeuw schrok. Afgezien van het geluid uit Chantals keel was iedereen in de klas op slag stil.

Mevrouw Schutler, de lerares Duits, was net de klas binnengekomen en liep meteen naar Chantal toe. 'Wat is hier aan de hand?' Ze boog zich over Chantal heen en keek daarna naar Zahra.

Die haalde haar schouders op. 'Ze liet me struikelen en in mijn val raakte ik haar.'

Chantal zat op haar billen en met een van pijn vertrokken gezicht en haar hand in haar nek keek ze omhoog. 'Leugenaar,' riep ze huilend. 'Je sloeg me.'

'Helemaal niet. Het was een reactie omdat ik schrok. Ik raakte je amper.' Zahra voelde een rel aankomen.

'Je liegt.' Chantal kwam overeind. Ze liet haar arm hangen en ze bewoog haar hoofd nauwelijks om te laten zien hoeveel pijn ze in haar nek had.

Mevrouw Schutler maakte er niet veel woorden aan vuil. 'Ga jullie allebei maar melden bij mevrouw Peterson.'

Zahra deed haar armen wijd. 'Waarom? Ik heb niets gedaan.'

'Gewoon allebei weg.' Haar lichaamstaal en de toon waarop ze het zei, gaf duidelijk aan dat ze geen tegenspraak meer duldde.

Zahra voelde dat aan en liep weer langs Chantal. Ze had geen zin om samen naar mevrouw Peterson, de directrice, te lopen. Zonder verder wat te zeggen, verliet ze de klas. Pas toen ze bij de hoek was en rechtsaf sloeg naar het kantoor van de directrice, hoorde ze Chantal kermend de klas uit komen.

Aanstelster, dacht ze. Zahra wist zeker dat ze Chantal nauwelijks geraakt had en haar zeker geen pijn had gedaan. Ze hoopte dat mevrouw Peterson haar zou geloven en anders waren er genoeg klasgenoten die hadden gezien wat er gebeurd was. Tenminste, dat hoopte ze. Bij het kantoor van mevrouw Peterson klopte ze op de deur.

'Binnen,' hoorde Zahra. Ze opende de deur. 'Ik moet me melden.'

Mevrouw Peterson zette haar bril af. 'Jij, Zahra?' vroeg ze verbaasd.

'En ik ook.' Chantal stond achter Zahra.

'Ah, vandaar,' liet de directrice zich ontvallen. 'Kom maar binnen en ga zitten.' Ze wees naar de ronde tafel, waar vier stoelen omheen stonden. Zelf liep ze terug naar haar bureau.

Chantal ging tegenover Zahra zitten en op het moment dat mevrouw Peterson met haar rug naar hen toe stond en Zahra oogcontact met haar had, haalde ze haar hand langs haar hals. Daar wilde ze mee aangeven dat ze Zahra ging killen.

Maar die schrok niet meer van dit soort gebaren en schudde alleen maar haar hoofd.

11

Mevrouw Peterson ging achter een van de stoelen om de tafel staan. Ze legde haar twee handen op de rugleuning. 'Nou, vertel het maar. Wie begint?'

'Nou,' begon Chantal met een snik in haar stem. 'Het is mijn eerste dag weer op deze school en ik wilde sorry zeggen tegen Nikki.' Ze wachtte even om in haar ogen te wrijven.

Wat een dramaqueen, dacht Zahra. Maar ze wachtte geduldig tot Chantal verder ging.

'Ik was zo zenuwachtig en ik slaap er al nachten niet van. Ik had eindelijk genoeg moed verzameld om iets tegen Nikki te zeggen en toen ging zij zich ermee bemoeien.' Vol dramatiek sloeg ze haar handen voor haar gezicht.

'Zahra?' Mevrouw Peterson maakte duidelijk dat ze er niet te veel tijd aan wilde besteden en hield het tempo erin.

'Ehm.' Zahra had verwacht dat Chantal nog verder zou gaan en moest even nadenken. 'Ze wilde zichzelf schoonpraten en Nikki trapte erin, dus ik waarschuwde haar daarvoor. Zij werd boos en liet me struikelen toen ik langs haar liep. In mijn val raakte ik haar ...'

Verder kwam Zahra niet. 'Raakte ik haar?' schreeuwde Chantal. 'Je sloeg me keihard in mijn hals.'

Zahra merkte dat haar bloed sneller ging stromen. Rustig blijven, zei ze tegen zichzelf. 'Ik viel voorover en probeerde mijn evenwicht te bewaren. Dan doe je automatisch je armen naar achteren.' Ze haalde haar schouders op om aan te geven dat het allemaal niet zo veel om het lijf had.

Chantal schoof wild haar stoel naar achteren en ging staan. 'Dit is te gek voor woorden. Jij denkt dat je macht over mij hebt omdat mijn moeder Nikki heeft aangereden. Zo probeer je ervoor te zorgen dat iedereen tegen mij is. En zo zal ik weggepest worden.'

Zahra had geen zin om op Chantal te reageren. Chantal was weer in huilen uitgebarsten en dus werd er even niets gezegd.

'Zahra?' vroeg mevrouw Peterson weer.

'Ik heb verteld wat er gebeurd is. Wat moet ik nog meer zeggen dan?' Het kwam er brutaler uit dan ze wilde. Haar irritatie over het gedrag van Chantal reageerde ze af op de directrice.

'Kan het ietsje minder, Zahra de Groot?' Mevrouw Peterson had nu blijkbaar in de gaten dat dit gevalletje niet een-twee-drie opgelost zou zijn en ging op de stoel zitten die ze steeds had vastgehouden. 'Klopt het dat je probeert Chantal van school te pesten?'

'U zou toch beter moeten weten.' Zahra zorgde dat het zo klonk alsof ze zwaar beledigd was. 'Chantal is vandaag voor het eerst weer op school. Waarom zou ik dat doen?'

'Jullie waren al niet de beste vriendinnen. En dan druk ik me zacht uit. Dus het kan zijn dat je blij was toen het erop leek dat Chantal niet meer terug zou komen. En dat, nu ze er weer is, je dat niet lekker zit.'

'Onzin,' reageerde Zahra kortaf.

'Dus je bent blij dat ik weer terug ben.' Chantal keek Zahra van opzij aan. Het viel Zahra op dat het verdriet en de pijn helemaal uit Chantals stem verdwenen waren.

Zahra draaide haar hoofd in Chantals richting en keek recht in haar ogen. 'Nee. Ik ben niet blij dat degene die geprobeerd heeft mijn zus te vermoorden weer bij ons in de klas rondloopt.' Ze had het eruit gegooid voordat ze erover nagedacht had. Het bloed stroomde naar haar hoofd.

'Zahra!' riep mevrouw Peterson. 'Schaam je.'

'Dat had ik niet moeten zeggen.' Zahra praatte zachtjes en boog haar hoofd.

'Ziet u nou?' Chantal maakte meteen van de gelegenheid gebruik om Zahra aan te vallen. 'Ze noemt me nu zelfs een moordenaar. Als dit zo doorgaat, kijkt niemand hier op school me straks meer aan. En dan pesten ze me gewoon weg.'

Zahra hoorde triomf in Chantals stem. Hoe had ze zo dom kunnen zijn om zich zo uit haar tent te laten lokken? Ze had toch moeten weten dat Chantal dit zou proberen? Haar hele leven had ze niets anders gedaan.

'Wilt u dat op uw geweten hebben, mevrouw Peterson?' Chantal strafte de fout van Zahra genadeloos af. 'Dat straks overal bekend is dat ik van uw school gepest ben. Kinderen die een school moeten kiezen, zullen hier niet meer naartoe willen.'

'Als je vanmiddag klaar bent, meld je je hier, Zahra.'

Zahra liet zich achterovervallen en gooide haar armen in de lucht. 'Waarom? Ik heb helemaal niets verkeerds gedaan.' Ze dacht meteen aan de afspraak met Bradley, die nu in het water viel.

'Niets verkeerds gedaan?' snoof Chantal. 'Je hebt me net uitgemaakt voor moordenaar.'

Zahra voelde haar woede toenemen. Dat ben je ook, lag op haar lippen, maar ze slikte de woorden in en probeerde Chantal te negeren. 'Of wel, mevrouw Peterson?'

De directrice stond op. 'Je meldt je gewoon vanmiddag.'

'En zij dan?' Zahra was ook opgestaan. 'Hoeft zij niet na te blijven?'

Mevrouw Peterson schudde haar hoofd. 'Nee, Zahra, dit keer heeft Chantal niets fout gedaan.'

Zahra draaide met haar ogen. 'Nou ja, zeg.'

'En nu terug naar de klas.' Mevrouw Peterson zette haar bril weer op, ging achter haar bureau zitten en bladerde door een stapel papieren.

Zahra opende de deur en liep er zelf als eerste door.

Chantal volgde haar. 'Ik wist wel dat mijn eerste dag meteen een feest zou zijn. En het kon niet mooier beginnen dan zo. Jij moet nablijven en mevrouw Peterson denkt dat ik erg zielig ben en zal me voorlopig wel steunen. Bang als ze is dat haar school negatief in de publiciteit komt.'

Doorlopen, dacht Zahra. Laat je niet weer uit je tent lokken.

'Het is alleen jammer dat ik de hele dag met jullie opgescheept zit. Dat heb ik de afgelopen weken helemaal niet gemist.'

'Was dan weggebleven,' gromde Zahra.

'Nee, dat was ook weer niet leuk. Ik gun jullie geen leven zonder Chantal.' Ze lachte gemeen om haar eigen opmerking.

Zahra klemde haar kiezen op elkaar.

'En dat terwijl jullie altijd met z'n tweeën zijn en ik alleen. Grappig dat ik er dan toch altijd als sterkste uit kom.'

Zahra draaide zich abrupt om.

'O jee, mevrouw wordt boos.' Chantal glimlachte. 'Het was toch veel eerlijker geweest als het één tegen één zou zijn? Gewoon jij en ik.'

'Je bent gestoord,' zei Zahra. Ze wilde weer verder lopen.

'Wat dat betreft, was het beter geweest als mijn moeder Nikki iets beter geraakt had en ze het niet overleefd had.'

Zahra deed een stap naar voren en haalde vol uit met haar rechtervuist. Ze raakte Chantal vol op haar neus. Ze schrok zelf van de klap, maar had geen seconde een schuldgevoel.

Chantal viel achterover met haar handen voor haar gezicht.

Zahra boog over haar heen. 'Nu heb je een reden om te janken,' siste ze haar toe.

Chantal schreeuwde het uit. Het bloed liep tussen haar vingers door over haar handen.

Zahra had haar goed geraakt. Haar rechterhand deed er nog pijn van.

Het geschreeuw van Chantal trok de aandacht van de klassen vlakbij. Kinderen stonden in de deuropening en leraren en leraressen kwamen poolshoogte nemen.

Ik hoop niet dat haar neus gebroken is, dacht Zahra. Doodstil bleef ze wachten op wat er zou gebeuren. Het was nu wel terecht dat ze na moest blijven, bedacht ze.

Twee leraressen bekommerden zich om Chantal en namen haar mee naar de lerarenkamer. Op de grond lag bloed. Een van de leraren, meneer Kruis, kwam bij Chantal staan. 'Haalde ze het bloed onder je nagels vandaan?'

Zahra knikte. 'Maar ik had niet moeten slaan.'

'Klopt.' Meneer Kruis legde zijn hand op haar schouder. 'Als er één haar zo langzamerhand wel moet kennen, dan ben jij het.'

Zahra knikte. Ze wist dat hij gelijk had, maar op een of andere manier lukte het haar niet zich te beheersen.

'Loop maar even mee.' Meneer Kruis pakte Zahra bij haar arm.

'Niet naar de lerarenkamer, hoor.' Zahra had geen zin in een confrontatie met Chantal.

'We gaan naar mijn klas,' zei meneer Kruis. 'Dat is een stuk rustiger.'

12

'Hoe laat is het?' Zahra ging nog eens op de pedalen staan.

'Vijf over vier,' antwoordde Nikki. Ze hijgde van het fietsen. Haar conditie was een stuk minder dan die van haar zus.

Zahra was na de laatste les bij mevrouw Peterson geweest. Tot haar opluchting had de directrice begrip voor de situatie gehad. De klap die Chantal een bloedneus bezorgde, had ze niet goedgekeurd en het leverde Zahra een officiële waarschuwing op. Maar de manier waarop mevrouw Peterson met Zahra sprak, liet vermoeden dat ze best wel wist hoe Chantal in elkaar zat en dat ze nare trekjes had. Om tien voor vier mocht Zahra weg, nadat ze een bemoedigend schouderklopje van de directrice had gekregen. Nikki stond in de hal te wachten en nu fietsten ze zo hard als ze konden naar het plein in het centrum van Almkerk om Bradley te ontmoeten.

'Shit, joh. Ik hoop niet dat hij al weg is.' Zahra beet op haar onderlip.

'Zo ongeduldig zal hij toch niet zijn.' Nikki was blij dat ze in het centrum van het dorp waren en door de vele bochten niet zo hard meer konden fietsen. Langzaam kwam ze weer op adem.

Bij de rand van het plein stapte Zahra af. Ze zette haar fiets tussen de andere die er al stonden. 'Zie jij al iets?' vroeg ze nerveus.

'Nee, joh. Die boom is veel te ver weg.' De eikenboom stond midden in het park op een plek met allemaal bankjes eromheen. Er werd daar vaak afgesproken omdat alle mensen uit Almkerk de boom kenden.

Naast elkaar liepen ze het pad af naar het midden van het plein.

Op de bankjes bij de boom zaten twee stelletjes, een meisje dat zat te lezen en een oudere man. 'Zie jij hem?' vroeg Zahra.

Nikki keek goed rond, maar nergens zag ze een jongen die leek op de foto van Bradley. 'Ik zie hem niet.'

'Balen. Hij is al weg.' Zahra zuchtte eens diep.

Nikki liep met een grote boog om de boom heen. 'Hij is er echt niet.'

'Dat komt omdat wij te laat zijn. Dat komt door die trut van een Chantal. Als zij gewoon in Verwegistan was gebleven, waren we nu op tijd geweest.'

'Als Chantal in Verwegistan was gebleven, hadden we nu geen afspraak met Bradley,' zei Nikki.

Zahra keek haar zus vragend aan. 'Wat zeg je nou?'

'Ik weet bijna zeker dat hij ons iets over Chantal wil vertellen.'

'Wat dan?'

Nikki grinnikte. 'Dat weet ik natuurlijk niet. Maar hij heeft Chantal in zijn vriendengroep en dat is de enige persoon die wij kennen.' Nikki haalde haar schouders op. 'Maar ik kan me natuurlijk ook vergissen.'

'Zou hij nog komen? Wij waren ook te laat.' Zahra baalde nog steeds als een stekker.

Nikki ging op het bankje zitten waar eerst de oude man had gezeten. Hij was opgestaan en weggelopen. 'Dan wachten we toch nog even.'

Zahra ging naast haar zitten. 'Oké.'

Zwijgend zat de tweeling naast elkaar. Het ene stelletje ging en het andere kwam. Er liep een aantal jongens langs, maar geen van hen leek op Bradley. Ruim een kwartier later verdween de hoop bij Zahra. 'Of hij is hier nooit geweest of hij is al weg.'

'Dan is hij hier niet geweest,' zei Nikki. 'Als je een afspraak hebt die zo belangrijk is, zoals hij zegt, dan blijf je heus wel een paar minuten wachten.'

Zahra kon zich wel vinden in de redenering van Nikki. 'Zou hij dan gewoon maar wat gezegd hebben?'

'Dat kan ik me niet voorstellen.' Nikki stond weer op. 'Zullen we maar gaan?'

Zahra zuchtte. Ze keek nog eens goed om zich heen, maar er was geen jongen die op Bradley leek. 'Laten we dat maar doen. Dan lopen we nog een rondje om de boom, goed?'

Nikki liep al voor haar zus uit.

'Zahra?' Het was een vrouwenstem die ervoor zorgde dat Zahra zich omdraaide.

Zahra bekeek de vrouw die voor haar stond. Ze had halflang zwart haar dat rommelig langs haar gezicht hing. Zahra dook in haar geheugen, maar kon zich zo snel niet herinneren dat ze de vrouw eerder gezien had. 'Ja, dat ben ik,' antwoordde Zahra onzeker, nog steeds zoekend naar een aanknopingspunt. Ze keek even over haar schouder en zag dat Nikki niet doorgelopen was, maar vlak achter haar stond.

'Is hij gekomen?' De vrouw oogde nerveus en haar blik stond onrustig. Achter haar stond een jong meisje. Tenminste, dat dacht Zahra eerst. Toen ze goed keek, zag ze dat ze ouder was. Minstens zestien.

Nikki kwam naast Zahra staan. 'Dit is Nikki, mijn zus.' Ze zei het om tijd te winnen, om zo langer na te kunnen denken over haar antwoord op de vraag. Ondertussen bedacht ze dat de vrouw zich nog niet had voorgesteld. 'En u bent?'

'Ach, wat slordig.' De vrouw liep op Zahra af en stak haar hand uit. 'Netty Komrooy,' zei ze terwijl ze een stap opzij deed. 'En dit is mijn dochter Melissa.' Melissa kwam ook dichterbij en gaf, net als haar moeder, zowel Zahra als Nikki een hand.

'Komrooy?' mompelde Zahra.

'Van Bradley. Je zou hem hier vandaag ontmoeten, toch?'

Zahra knikte. Zou de vrouw denken dat ze een afspraak hadden en dat zij zijn vriendin was? En zou ze komen controleren wie zij was? Maar dan zou Bradley aan zijn moeder verteld moeten hebben dat hij hiernaartoe zou gaan. Sterker nog, hij had zelfs haar naam genoemd, want zijn moeder wist dat zij Zahra heette.

'Is hij hier geweest?' Nu was het Bradleys zus die een vraag stelde.

'Nee.'

Nikki antwoordde al terwijl Zahra nog aan het nadenken was. Zahra vond het maar raar allemaal.

'We hebben Bradley niet gezien,' ging Nikki verder. 'Weet u waarom niet?'

De vriendelijke uitstraling van de moeder verdween. 'Ik kan beter aan jullie vragen waarom hij met jullie afspreekt,' zei ze dwingend.

'Daar waren wij ook heel benieuwd naar.' Nikki bleef rustig praten.

Melissa had haar hand op haar moeders arm gelegd en bleef wel vriendelijk. 'Waar kennen jullie Bradley van?'

'We kennen hem niet.' Zahra kon heel stug overkomen als ze het gevoel had onheus bejegend te worden. Het gedrag van de moeder van Bradley maakte dat nu in haar los.

Bradleys moeder bewoog haar arm, zodat de hand van haar dochter er niet meer op lag. 'Waarom spreekt hij dan met jullie af?'

'Dat weten we dus niet,' antwoordde Nikki. 'Daarom zijn we hier. Bradley had gezegd dat het belangrijk was en dus besloten we hierheen te komen.'

'Hij had toch alleen met Zahra afgesproken?' Melissa nam het woord weer van haar moeder over.

'Klopt, maar ik laat mijn zus niet alleen naar een afspraak gaan met een jongen die ze nog nooit heeft gezien.' Nikki bleef rustig praten.

Zahra bleef het raar vinden. Een moeder en zus die hun zoon en broer stiekem besluipen om te zien met wie hij afgesproken heeft. Ze vond het een ongezonde situatie. 'Waarom verschijnt u op de plaats waar uw zoon met iemand afspreekt? Ik bedoel, hij is zeventien, dan mag hij toch wel ergens met een meisje afspreken?'

Er viel een korte, ongemakkelijke stilte. Zahra was even bang dat ze te ver was gegaan en dat de moeder boos zou worden. Tijdens de stilte boog ze haar hoofd en wreef ze in haar ogen. Haar hand bleef voor haar gezicht. 'Zeg jij het maar,' zei ze zachtjes tegen Melissa.

'Zullen we even gaan zitten?' Melissa wees naar de bank waar Nikki kort daarvoor op gezeten had.

Even later begon Melissa te vertellen. 'Bradley is vrijdagavond van huis weggelopen. We weten niet waar hij is en we hebben sindsdien geen contact meer met hem gehad.'

'Sinds vrijdag?' onderbrak Zahra de jonge vrouw. 'Hij heeft mij op zondag nog een berichtje via Facebook gestuurd.'

'Dat weten we. Ik heb zijn inlogcode op Facebook en zag dat hij een afspraak met jou had vandaag, hier onder de boom. We hoopten dat hij zou komen.' De teleurstelling in Melissa's stem was duidelijk.

'We kwamen te laat. Misschien was hij er wel, maar is hij weggegaan voor wij er waren.' Zahra probeerde hun hoop te geven.

'Waarschijnlijk niet. Bradley is niet iemand die met iemand afspreekt en dan niet op komt dagen. En als iemand iets later is, dan wacht hij. Zeker weten.' Melissa grinnikte. 'Ik kom altijd te laat als ik met hem afspreek en hij wacht altijd geduldig tot ik er ben.'

'Ik begrijp dus dat jullie hem nog nooit ontmoet hebben,' zei Bradleys moeder.

Nikki kneep haar lippen op elkaar en zei toen: 'We hadden tot zondag nog nooit van hem gehoord.'

Bradleys moeder stond op. 'Jammer.' Ze gaf Zahra en Nikki een hand. 'Als hij weer wat van zich laat horen, willen jullie het dan laten weten?'

Melissa stond ook op. Ze pakte een briefje en een pen uit haar tas, streepte eerst iets door en schreef er daarna iets op. Ze gaf het briefje aan Zahra. 'Dit is mijn nummer. Elke aanwijzing kan onwijselijk belangrijk zijn.'

'En de politie?' vroeg Zahra terwijl ze samen het park uit liepen. 'Kan die niet helpen?'

'We hebben het gemeld, maar zoals het er nu naar uitziet, is hij vrijwillig weggegaan. Er is geen aanleiding om aan te nemen dat er iets misdadigs is gebeurd.'

Zahra begreep het. 'Als we iets horen, bellen we u.' Ze namen nog eens afscheid.

Zahra en Nikki keken Netty en Melissa na. 'Raar verhaal,' mompelde Nikki.

13

De dinsdag verliep opvallend rustig. Het leek wel of Chantal de twee-ling zo veel mogelijk ontliep. Zodra een van de twee in haar buurt kwam, liep ze weg.

Nikki en Zahra hadden nog allerlei theorieën bedacht over Bradley en de onverwachte verschijning van zijn moeder en zus. Maar geen enkele was aannemelijk genoeg om iets te verklaren. De meiden had-den afgesproken het er voorlopig met niemand over te hebben, ook niet met hun ouders. De kans daartoe deed zich wel voor toen op televisie een oproep werd gedaan. Daarin werd gemeld dat Bradley al sinds vrijdag vermist was. De foto die getoond werd, was die van op Facebook.

Na het journaal had Zahra van haar vader een preek gekregen. Mevrouw Peterson had die middag hun moeder opgebeld en verteld wat er gebeurd was. Haar vader vond het onbegrijpelijk dat ze zich zo had laten gaan dat ze Chantal een klap had gegeven. Ze moest toch weten dat geweld nooit een oplossing was?

'Bij Chantal wel,' had Zahra nauwelijks hoorbaar geantwoord.

Haar vader had gevraagd of ze haar grote mond wilde houden en gezegd dat hij zich schaamde dat zijn dochter een officiële waar-schuwing had gekregen vanwege slaan.

Zahra vond dat laatste niet leuk, maar had geen seconde spijt van de klap. Iemand die zegt dat Nikki beter dood had kunnen gaan, verdient op zijn minst een klap. Ze wist zeker dat wanneer ze dat zou vertellen, iedereen haar gelijk zou geven. Maar ze had besloten niemand te vertellen wat Chantal gezegd had, hoe kwetsend het ook was. De enige reden was dat ze niet wilde dat Nikki zou weten dat er iemand rondliep die haar dat toewenste. Ook al was het die trut van een Chantal. Dan liever een preek van haar vader en straf op school.

'We hebben er zelfs nog even over nagedacht of wij je ook moesten straffen,' had hun vader gezegd.

'Maar ...' had Zahra hem uitgenodigd verder te vertellen.

'Maar we hebben besloten dat een straf op school genoeg was.'

Nikki had tot dit moment gezwegen, maar zei nu: 'En pap, laten we eerlijk zijn. Je vindt het eigenlijk ook wel grappig dat Zahra Chantal een bloedneus heeft geslagen.' Ze kon het niet laten het voor haar zus op te nemen. 'Zeker als je bedenkt wat zij en haar moeder ons allemaal hebben aangedaan. Toch?'

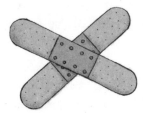

'Helemaal niet,' had haar vader geantwoord. 'Slaan is nooit de oplossing.' Maar de kleine glimlach die een fractie van een seconde op zijn gezicht te zien was, sprak boekdelen.

Hun moeder verborg haar glimlach niet.

Op school moest Zahra zich de volgende ochtend weer bij mevrouw Peterson melden. De directrice wilde Zahra nog een keer vragen waarom ze Chantal een klap had gegeven.

'Ze treiterde me,' had Zahra geantwoord.

'Is dat een reden om te slaan?' had mevrouw Peterson gevraagd.

Zahra schudde haar hoofd. 'Ik ben nogal driftig aangelegd, vandaar.' Ze wilde absoluut niet zeggen wat Chantal over Nikki had gezegd. Niet om Chantal niet te verraden, maar ze wist zeker dat als ze het zou vertellen, het vroeg of laat op straat kwam te liggen.

'Dan kan ik echt niet anders dan je een officiële waarschuwing geven, Zahra. Je weet wat dat betekent, toch?'

Zahra knikte.

'Ik moet het je toch nog even zeggen. Bij drie officiële waarschuwingen word je van school gestuurd.' Mevrouw Peterson pakte een kartonnen map en sloeg die open. 'Dit is je dossier en als ik het goed heb, is dit je eerste waarschuwing.'

'Voor zover ik weet wel.' Zahra had hier al rekening mee gehouden en was er dus op voorbereid. Het kwam niet als een schok.

'Even kijken, hoor.' Mevrouw Peterson bladerde door de papieren die in de map zaten. 'O, je hebt al eens eerder met Chantal gevochten.'

Zahra dacht terug aan die keer dat ze over de gang rollebolden. 'Klopt.'

'Maar toen heb je geen waarschuwing gehad, zo te zien.'

'Volgens mij ook niet. Dus ik kan haar gerust nog een keer slaan.' Zahra moest om haar eigen opmerking lachen. Toen mevrouw Peterson haar streng en vragend aankeek, verduidelijkte Zahra: 'Voor ik van school gestuurd word, bedoel ik.'

Mevrouw Peterson deed haar uiterste best om haar gezicht in de plooi te houden. Blijkbaar zag ze er de lol ook wel van in. 'Ik zou me maar gedragen.'

Zahra wist dat Chantal niet populair was op school. Haar gedrag, waarmee ze altijd iedereen uitdaagde, was algemeen bekend en dat maakte haar ook bij de docenten niet populair.

'Beloofd?' vroeg mevrouw Peterson.

'Beloofd,' antwoordde Zahra.

'Ga dan maar.' Mevrouw Peterson had Zahra naar de deur van haar kantoor begeleid. Het klopje op Zahra's schouder toen ze haar passeerde, vertelde meer over hoe de directrice erover dacht dan duizend woorden.

Zahra verwachtte dat Chantal een opmerking zou maken toen ze de klas in kwam, maar het bleef stil. Ze zag dat Chantal met haar hoofd over haar boek gebogen zat. Toen Chantal even opkeek, kon Zahra haar neus zien. Die was dik en blauw en maakte haar allerminst aantrekkelijk. *Nu begrijp ik het gezegde 'wie zijn neus schendt, schendt zijn aangezicht',* dacht Zahra. Ze had Chantal goed geraakt, dat was wel duidelijk, maar dat had ze al aan haar hand gevoeld. Die deed nog steeds pijn. Ondanks dat en de officiële waarschuwing zou ze het vandaag weer doen als Chantal iets soortgelijks over Nikki zou zeggen.

Die avond stond de training op het programma. 'Hard trainen,' had Daniel zaterdag nog gezegd. Zahra vroeg zich af wat haar te wachten stond.

Nikki was thuisgebleven. Het miezerde en ze had geen zin om zich nat te laten regenen.

Zahra begreep het wel. Ze vond het al knap dat haar zus vorige week mee was geweest naar de training en zaterdag naar de wedstrijd was komen kijken. Zahra betwijfelde of zij hetzelfde had kunnen opbrengen als zij zo lang geblesseerd was en niet in staat om te hockeyen.

De MC1 van HCA kleedde zich altijd in de kleedkamer om. De meisjes van andere elftallen kwamen omgekleed naar de club en gingen ook in hun sportkleren terug naar huis. Daniel vond het moment in de kleedkamer goed voor het teamgevoel en had de meisjes opgedragen zich voor en na elke training en wedstrijd om te kleden. Nu wisten ze niet beter.

Meteen toen Zahra het veld op kwam, werd ze opgevangen door Daniel. Naast hem stond de conditietrainer van het eerste elftal.

O nee, dacht Zahra. Het zal toch niet?

'Je kent Derk wel, toch?' vroeg Daniel. 'Hij komt je vandaag onder handen nemen.'

Zahra kende de reputatie van Derk. Ze had de meiden van het eerste weleens over hem horen praten. Een beul, hadden ze hem genoemd. 'Kan dat niet donderdag?' probeerde ze.

'Dat is te kort voor de wedstrijd.' Derk nam meteen het woord. 'Na vandaag heb je nog drie dagen om te herstellen. Als we het donderdag doen, nog maar één dag.'

'Ik moet donderdag toch ook trainen?' deed Zahra een laatste poging. Maar ze voelde wel dat ze er niet onderuit zou komen.

'Dan doen we het rustig aan en dat bevordert juist weer je herstel.' Daniel liet zich niet ompraten. 'En dan doen we dit volgende week weer en over een paar weken ben je weer topfit.'

Zahra legde zich erbij neer. 'Aan de slag dan.' Naast de twee trainers liep ze het veld op.

Anderhalf uur later begreep Zahra waarom de meiden van Dames 1 Derk een beul noemden. Uitgeput en hijgend lag ze op de grond.

'Je hebt nog best een goede conditie voor iemand die er zo lang uit is geweest,' complimenteerde Derk haar.

Zahra had niet meer de puf om antwoord te geven. Het compliment interesseerde haar ook geen bal. Ze was doodmoe, wilde honderd jaar blijven liggen en had het gevoel dat ze nooit meer op haar benen zou kunnen staan.

'Donderdag rustig trainen en zaterdag nog wel voorzichtig doen. Maar dat heb ik tegen Daniel ook al gezegd.'

Zahra tilde haar hoofd van de grond. 'Morgen blijf ik de hele dag in bed en donderdag ook,' hijgde ze. 'En zaterdag moet ik me waarschijnlijk nog in een rolstoel voortbewegen.'

Derk lachte. 'Dat zal best meevallen. Morgenochtend heb je nog een beetje spierpijn, maar in de loop van de dag wordt dat minder.

Donderdag voelt het nog erger aan, maar als je dan donderdagavond getraind hebt, is het vrijdag weer over.'

'Ik help het je hopen.' Zahra kwam overeind en ging staan. Ze leunde op haar stick. Gelukkig had Derk veel werk met de bal gedaan. Hierdoor leek het iets minder zwaar. Maar haar benen vonden van niet. Die leken wel vol lood te zitten toen ze naar de kleedkamer liep.

Zahra bleef maar kort in het clubhuis. Eigenlijk was ze van plan om meteen na het omkleden naar huis te gaan. Toch besloot ze even het clubhuis binnen te wippen. Ze wist dat de B1 ook had getraind en hoopte dat ze Jelle tegen het lijf zou lopen. Maar de B1 had een bespreking. Zahra wist dat die erg lang kon duren. Ze gaf hun één glas drinken de tijd, maar toen het glas leeg was, ging ze naar huis. Dan maar geen Jelle.

Toen ze het clubhuis uit liep, trok iemand aan haar arm.

'Ik heb goed nieuws.' Romy stond hijgend voor haar met haar telefoon in haar hand. 'Mijn vader sms't net dat er geen claim komt.'

Zahra moest even een paar gedachten aan elkaar schakelen. 'Dat eh … Dat is echt goed nieuws,' stotterde ze toen.

'Chantals moeder ziet ervan af.'

Zahra dacht aan de keiharde ontkenning van Chantal toen ze naar de claim had gevraagd. 'Dank je,' zei ze en ze gaf Romy een knuffel.

Die knikte en liep blij weer terug naar het clubhuis.

14

Zahra had heel diep geslapen. Vermoeid als ze was na de zware training, was ze vroeger naar bed gegaan dan anders en als een blok in
slaap gevallen. Daarvoor had ze Nikki nog wel gezegd wat Romy
haar had verteld. Nikki had een zucht van opluchting geslaakt en
zich net als Zahra afgevraagd of Chantal er meer van wist.

De volgende ochtend was de wekker ervoor nodig om haar de
ogen te laten openen. Zoals altijd bleef ze nog een paar minuten
liggen, rekte zich daarna uit en voelde een paar spieren waarvan ze
niet wist dat die daar zaten.

De eerste passen naar de badkamer gingen moeizaam. Vooral
haar bovenbenen, zowel aan de voor- als aan de achterkant, werkten
niet mee. Maar toen haar lichaam wat meer in beweging was geweest
en vooral onder een heerlijk warme douche had gestaan, leek het
beter te gaan. Vlak voor ze naar beneden ging, zette ze haar laptop
aan. Zo te horen was iedereen beneden, dus het kon wel even. Snel
opende ze de internetbrowser en surfte naar Facebook. Ze had een
vriendenuitnodiging. Zahra drukte op het icoontje van de uitnodiging. *Bradley Komrooy*, stond er.

Potver, dacht Zahra. Ze accepteerde zijn uitnodiging, ging verder naar haar mailbox en zag dat ze een berichtje had. Ondertussen
hield ze de geluiden die van beneden naar boven doorsijpelden in
de gaten. Zodra ze iemand naar boven zou horen komen, zou ze de
laptop dichtklappen. Het leek erop dat ze al met z'n vieren aan tafel
zaten. Ze hoorde ook Timo praten, dus die zou wel vroeg moeten
beginnen vandaag.

Zahra las de mail. Ze was niet verrast dat het van Bradley was.

Hoi Zahra,

Ik had jullie graag ontmoet, maar het kon niet. Ik wist dat mijn moeder en zus er ook zouden zijn, dus heb ik besloten om niet te komen. Mijn zus kijkt waarschijnlijk mee op Facebook, dus mail ik je maar zo. Je mailadres heb ik van de contactenlijst van HCA gehaald. Zorg dat deze mail tussen ons blijft, alsjeblieft. Binnenkort plannen we een nieuwe afspraak.

Groeten,

Bradley

Zahra klapte haar laptop dicht en ging op het bed zitten. Ze deed haar sokken aan en liep de trap af naar beneden. Haar spieren voelden niet soepel aan, maar van erge spierpijn was geen sprake. Tijdens het ontbijt probeerde ze mee te doen met de gesprekken, maar de gedachten aan Bradley en alle vraagtekens die om hem hingen, maakten dat lastig.

Nikki was de enige die het in de gaten had. 'Wat is er met jou?' vroeg ze toen ze samen naar boven liepen om hun rugzak te halen.

'Hoezo?'

'Kom op, Zaar. Ik ben niet achterlijk. Je zat steeds met je gedachten ergens anders.'

'Ik heb een berichtje van Bradley gekregen.' Zahra had al meteen besloten dat ze het alleen aan Nikki zou vertellen. Ze wist dat ze het toch niet voor haar tweelingzus verborgen kon houden.

'Echt? Wat schrijft hij?' Nikki liep mee naar Zahra's slaapkamer. Zahra pakte haar laptop en liet haar zus de mail lezen.

'Hij heeft je ook uitgenodigd.' Nikki las het bericht. 'Waar zou hij zich schuilhouden?'

'Geen flauw idee.'

'Gaan we het zijn zus vertellen?' Nikki vroeg het op een manier waaruit bleek dat ze dacht van niet.

Zahra pakte de laptop weer terug en sloot af. 'Hij wil dat niet.'

'Zijn zus wil het wel en zij en haar moeder zijn erg ongerust over waar hij uithangt.'

Het bracht Zahra aan het twijfelen. 'Ik ga vandaag eens met Chantal praten.' Ze stopte nog een boek in haar rugzak en liep achter Nikki aan, die naar haar slaapkamer was gelopen.

'Met Chantal praten? Dat lijkt me nou het minst verstandige van alles wat je zou kunnen verzinnen.'

Zahra haalde haar schouders op. 'Afgezien van zijn moeder en zijn zus is Chantal de enige die we kennen. En eigenlijk is zij de enige die hij kent en die wij kennen. Het zou kunnen dat zij de reden is waarom hij contact met ons zoekt.'

'Met jou zoekt,' verbeterde Nikki. 'Ik ben volledig buiten beeld gebleven en hij heeft me nog niet één keer genoemd.'

'Dat is waar.'

'We moeten gaan.' Nikki tikte op haar pols.

'Kan ik je even spreken?' Zahra was meteen toen ze de klas binnenkwam op Chantal afgelopen.

Die reageerde door haar handen voor haar gezicht te houden. 'Niet slaan,' riep ze.

'Stel je niet aan,' siste Zahra. Vanbinnen moest ze grinniken toen ze zag dat het blauw van Chantals neus nu meer paars was. Bovendien was haar neus nog altijd opgezwollen. Ze zag er nog lelijker uit dan de dag ervoor. 'In de pauze?'

'Als je normaal doet.'

'Even samen, oké?' Zahra was blij dat ze er open voor stond. De kans was aanzienlijk geweest dat ze zou weigeren.

'Maar wel in de kantine. Ik wil voorlopig niet ergens alleen zijn met jou.'

'Wat jij wilt.' Zahra vond het best. Nu had ze tot de pauze om na te denken hoe ze het zou aanpakken. De eerste korte pauze was na het tweede uur. Dan had ze twintig minuten om te horen wat Chantal over Bradley Komrooy wist.

'Het gaat zeker over Jelle.' Chantal was aan een tafeltje in de hoek gaan zitten. Ze grijnsde zoals alleen zij dat kon.

Zahra nam tegenover haar plaats. Had gekund, dacht ze. Jelle interesseerde haar nu niet zo. Dus had ze besloten zich niet meer uit haar tent te laten lokken. 'Nee, het gaat ergens anders over.'

'O?' Chantal was duidelijk verbaasd. 'Wil je hem niet terug?'

Zahra schudde haar hoofd. 'Je mag hem houden. Zo'n onbetrouwbaar type past wel bij jou.' Pats, 1-0, dacht ze erachteraan. Even opletten, Zahra, dat je haar niet boos maakt, want dan vertelt ze niets meer.

Chantal ging achteroverzitten. 'Daar geloof ik niets van.'

'Dan niet.' Zahra probeerde zo ongeïnteresseerd mogelijk te kijken. Om dat te benadrukken ging ze meteen verder. 'Wie is Bradley Komrooy?' Zahra lette goed op de reactie van Chantal. Die kon wel eens meer zeggen dan haar antwoord.

Chantal fronste haar wenkbrauwen. 'Wie?'

'Bradley Komrooy', herhaalde Zahra. 'Je moet hem kennen, want je hebt hem als vriend op Facebook.'

Chantal grinnikte en haalde haar schouders op. 'Ik heb zo veel vrienden op Facebook die ik helemaal niet ken.'

'Hij kent jou wel.' Zahra had het idee dat Chantal de waarheid sprak, maar besloot te bluffen om erachter te komen of dat echt zo was.

Chantal ging vooroverzitten en legde haar armen op tafel. 'Waarvan dan?'

'Dat weet ik niet. Maar hij wilde mij spreken en het ging over jou.'

'Nou, dan had je toch kunnen vragen waar hij mij van kent?' Chantal keek Zahra niet-begrijpend aan.

Zahra schudde haar hoofd. 'Hij is niet komen opdagen.'

'Vandaar.'

Zahra vond dat Chantal iets te veel met haar ogen knipperde. Zou er toch iets zijn? Even doorduwen nog. 'Bradley is die jongen die zoek is. Het was gisteren nog op televisie en vandaag staat het overal op het internet.'

'O, die Bradley.' Chantal liet op een overdreven manier zien dat ze opeens wist over wie het ging.

Daar trappen we niet in, dacht Zahra. 'Ja, het is die Bradley.' Ze gaf Chantal twee seconden om te reageren. Toen er niets gebeurde, zei ze: 'Dus jij hebt een vriend op Facebook, van wie je op televisie of waar dan ook hoort dat die spoorloos is, en er gaat geen lichtje branden?'

'Ik spreek hem nooit op Facebook, vandaar. Ik spreek zo veel mensen niet.'

'Je ziet de dingen die hij op zijn tijdlijn zet toch voorbijkomen?' Zahra voelde dat ze beet had. Nu nog binnenhengelen, dacht ze.

'Ook al lees je ze niet, je ziet wel zijn naam en profielfoto en dezelfde foto lieten ze op televisie zien.'

'Niet goed opgelet, denk ik.' Chantal zette haar twee handen op de tafel en duwde zich half overeind. 'Was dat het?'

Zahra reageerde niet.

'Zahra?' drong Chantal aan.

'Ja, dat was het. Ik weet meer dan genoeg.'

Zonder verder wat te zeggen, stond Chantal op.

'O nee, wacht.' Er schoot Zahra nog wat te binnen. 'Hoe zit het nou met die schadevergoeding die je moeder gaat claimen bij ons?'

Chantal trok haar wenkbrauwen op. 'Wat zeur je nou toch over een schadevergoeding? Daar is helemaal geen sprake van.' Hoofdschuddend liep ze bij het tafeltje vandaan.

Zahra bleef nog even zitten. Daarna liep ze naar Nikki.

'En?' vroeg die.

'Geen flauw idee.'

'Hoezo?' vroeg Nikki.

Zahra deed verslag van het gesprek en vertelde hoe Chantal gereageerd had en overal overtuigend antwoord op had gegeven. En dat ze geen moment het gevoel had dat Chantal had gelogen. 'Het enige rare was dat ze zei dat ze Bradley helemaal niet kent, terwijl hij toch haar vriend op Facebook is.'

'Waarom zou ze dat doen?' vroeg Nikki.

Zahra trok een gezicht. 'Omdat het een dom wicht is.' Ze zuchtte. 'Maar ik kom er nog wel achter wat er aan de hand is. Vroeg of laat maakt ze een fout. Als ik haar maar onder druk blijf zetten.'

Nikki glimlachte. 'Dat hebben we nu al een paar keer meegemaakt met haar.'

'Hoe is het tussen jou en Jelle?' Timo slurpte een hap soep naar binnen.

'Pas op, het is nog heet,' waarschuwde zijn moeder.

Het was al te laat. Timo wapperde met zijn vingers voor zijn mond om de hete soep af te laten koelen. Er ontsnapte een vloek uit zijn mond.

'Let op je woorden, Timo de Groot.' Hun vader was duidelijk niet gediend van het gevloek van zijn zoon.

'Weet je hoe heet het is?' zocht Timo naar een excuus. Snel nam hij een slok uit zijn glas water. 'Maar goed,' ging hij verder, 'hoe is het met Jelle?'

Zahra had geen zin om over Jelle te praten. Timo en hij waren al jaren beste vrienden en ze had altijd het gevoel dat Timo haar uithoorde als hij spontaan over Jelle begon. 'Hoezo?' vroeg ze.

'Gewoon.' Timo haalde zijn schouders op en voorzichtig nam hij een volgende hap.

'Dat is niet "gewoon". Jij vraagt nooit "gewoon" iets over Jelle.'

Timo grijnsde. 'Hij vroeg aan mij of jij het weleens over hem had thuis.'

'Zie je,' sprak Zahra triomfantelijk. 'Het is nooit "gewoon". En wat heb je geantwoord?'

Timo legde zijn lepel op zijn bord en goot een beetje Maggi in zijn soep. 'Dat ik je nooit meer over hem hoor.'

'Goed geantwoord.' Zahra boog zich over haar eten en liet zo merken dat voor haar hiermee het onderwerp afgesloten was.

Maar Timo was het daar niet mee eens. 'Maar voel je nog wat voor hem?'

'Vroeg hij dat?' Zahra bleef naar haar bord kijken. Ze was erg benieuwd naar het antwoord, maar wilde het niet laten merken.

'Nee, dat vraag ik,' zei Timo.

'Zahra bedoelt of je dat van Jelle moet vragen,' schoot Nikki haar zus te hulp. 'Dat snap je zelf toch ook wel.'

Timo grinnikte. 'Zo slim ben ik niet, hoor. Zeker niet met verliefdheidsgedoe en zo.'

'Bemoei je er dan niet mee als jou niets gevraagd wordt. Of heeft Jelle het je wel gevraagd?' Zahra wilde nu weten hoe het zat.

'Jelle begon erover, dus ik heb hem beloofd eens te vragen hoe het zit. Dat is toch niet zo erg?' Timo trok zijn meest onschuldige gezicht, ook al wist hij wel dat zijn zussen daar allang niet meer in trapten.

'Chantal logeert bij hem. Hoeveel gevoelens denk je dan dat ik nog voor hem heb?' Zahra trok een raar gezicht bij het woord 'gevoelens'.

'Chantal logeert helemaal niet bij hem. Zij woont bij een tante ergens in de Bloembergstraat.'

Zahra kneep haar ogen halfdicht. 'Echt?'

'Dat zei Jelle tegen mij. Waarom zou ze bij hem logeren?'

Zahra dacht na. 'Ze heeft ook gezegd dat ze weer verkering met hem heeft.'

'Onzin. Echt onzin.' Timo klonk erg overtuigend. Vaak probeerde hij zijn zussen te plagen of op de kast te jagen, maar dit keer klonk het bloedserieus.

Zahra probeerde het gesprek met Jelle en Chantal bij het clubhuis weer terug te halen. Chantal had gezegd dat ze bij Jelle logeerde, maar het kon zijn dat Jelle dat niet gehoord had. En ze had ook geroepen dat ze weer verkering met Jelle had, maar Zahra had Jelles reactie niet gezien, want ze was boos het clubhuis weer in gelopen. Waarom bleef ze twijfelen over Jelle? Ze had hem toch allang uit haar hoofd moeten zetten?

'Hij is je niet waard, Zaar.' Zoals wel vaker voelde Nikki haarfijn aan wat er in Zahra omging. Blijkbaar was het voor haar wel duidelijk.

Zahra had geen zin meer om het er verder over te hebben. Ze raakte er alleen maar meer van in de war. 'Ga je nog naar oma vanavond?' vroeg ze aan haar moeder om van onderwerp te veranderen.

'Ja, zo meteen. Ga je mee?'

Zahra knikte.

'Heb je Bradley al een antwoord gestuurd?' Nikki zat in de stoel op Zahra's kamer. Zahra zelf zat achter haar bureau. Terwijl Timo en Nikki de tafel hadden afgeruimd, was zij met haar moeder bij oma geweest. Nu waren ze weer terug.

'Ik hoef hem toch niet te antwoorden? Hij neemt contact met mij op.'

Nikki zuchtte. 'Denk je niet dat we toch zijn moeder en zus moeten inlichten? Dat vroegen ze toch?'

'Bradley wil dat echt niet en daar zal hij wel zijn redenen voor hebben. Misschien zijn zijn moeder en zus er wel de reden van dat hij verdwenen is.' Zahra was vastbesloten het er met niemand over te hebben. Ze opende Bradleys mailtje en las het nog een keer.

Hoi Zahra,

Ik had jullie graag ontmoet, maar het kon niet. Ik wist dat mijn moeder en zus er ook zouden zijn, dus heb ik besloten om niet te komen. Mijn zus kijkt waarschijnlijk mee op Facebook, dus mail ik je maar zo. Je mailadres heb ik van de contactenlijst van HCA gehaald. Zorg

dat deze mail tussen ons blijft, alsjeblieft. Binnenkort plannen we een
nieuwe afspraak.

Groeten,

Bradley

'Hij is lid van HCA.' Nikki klonk verbaasd. 'Wist jij dat?'

Zahra schudde haar hoofd. 'Er klopt iets niet,' zei ze zachtjes voor zich uit.

Nikki stond op, ging achter Zahra staan en las mee. 'Wat klopt er niet?'

Zahra legde haar hoofd in haar nek. 'Dat weet ik dus niet. Maar ik heb zo'n raar gevoel als ik dit lees.'

Nikki las de zinnen een paar keer voor zichzelf en daarna nog eens hardop. 'Zou het kunnen dat hij van tevoren wist dat zijn moeder en zus er ook zouden zijn, terwijl hij geen contact met hen heeft?'

'Hm.' Zahra dacht na. 'Dat is wel raar. Of niet?'

'Eigenlijk wel.'

'Maar ja, zij weten niet waar hij is, maar hij weet waarschijnlijk wel waar zij zijn. Misschien zit hij ergens waar hij hen kan horen.'

'Gewoon bij hen thuis of zo?'

'Nee, dat kan niet. Dat zouden ze toch merken?' Het onbehaaglijke gevoel was niet weg. De opmerking van Nikki had het niet laten verdwijnen. 'Ik ga antwoorden.'

'Heel goed.' Nikki leunde met haar armen op de rugleuning van Zahra's stoel en zag Zahra het volgende typen:

Hi Bradley,

We hebben inderdaad op je staan wachten en je moeder en je zus

*ontmoet. Weet je dat iedereen naar je op zoek is? Kun je al zeggen wat
er zo belangrijk is dat je met mij wilt afspreken? Kunnen we morgenmiddag afspreken? Ik ben om halfdrie uit.*

Groeten,

Zahra

'Zo?' vroeg Zahra.

Nikki las het hele bericht nog een keer. 'Ik zou hem niet vragen wat
er zo belangrijk is. Dat is juist de reden waarom hij wil afspreken.'

Zahra bewoog de cursor naar het begin van de zin. 'Ik wil weten
wat er zo belangrijk kan zijn.'

'Ik ook,' zei Nikki, 'maar ik ben bang dat je nog even geduld moet
hebben.'

'Dan haal ik die zin wel weg.' Zahra voegde de daad bij het woord.
'Zo dan?'

'Ja, versturen maar.'

Zahra drukte op verzenden. 'En nu is het afwachten of hij rea-
geert.'

'Dat zal wel even duren. Ik denk niet dat hij de hele tijd een com-
puter in de buurt heeft.' Nikki was weer in de stoel gaan zitten. 'Ik
ben sowieso wel benieuwd waar hij uithangt.'

'Dat is niet waarom ik hem wil zien. Ik wil weten wat hij te melden heeft.' Zahra ging naar YouTube en zocht naar leuke hockey-
filmpjes. Haar mail liet ze openstaan.

Nikki zat in een schoolboek te lezen.

'Ik heb al antwoord,' zei Zahra nauwelijks tien minuten later.

Nikki stond meteen op. 'Wat zegt-ie?'

Zahra opende het mailtje.

Beste Zahra,

Morgenmiddag is goed. Drie uur bij de bakker tegenover de kerk. Ga naast de deur staan, dan kom ik naar je toe.

Tot morgen,

Bradley

16

'Die jongen is nog steeds niet terecht.' Zahra's vader zat bij het ontbijt de krant te lezen. 'Ik vraag me af of die ooit nog boven water komt.'

Zahra wisselde een blik met Nikki, waarna ze snel weer voor zich keek. 'Wat staat er dan?' probeerde ze zo nonchalant mogelijk te vragen.

'O, een klein artikeltje dat ze vermoeden dat die jongen gewoon weg is gegaan, maar helemaal niet vermist is.' Hun vader sloeg de bladzijde om. 'De politie heeft onderzoek gedaan, maar gaat er verder niets meer mee doen. Kennen jullie hem?'

'Nog nooit gezien.' Zahra stopte een stuk brood in haar mond. Daar was geen woord van gelogen.

'Jawel, joh.' Timo had het sportgedeelte uit de krant gehaald en zat daarin te lezen. Maar blijkbaar hoorde hij wel wat er aan tafel gezegd werd. 'Hij heeft op HCA gezeten. Of misschien zit hij er nog steeds op. Dat weet ik niet.'

'In wel team dan?' vroeg Nikki.

'De A2 of A3, volgens mij. Het is een stille jongen. Maar de laatste tijd heb ik hem niet gezien.' Timo verdiepte zich weer in zijn krant.

Zahra dacht aan het berichtje waarin Bradley had verteld dat hij haar mailadres van de contactenlijst van HCA had gehaald. Aan het begin van het seizoen kregen alle leden een inlogcode waarmee ze op een bepaald deel van de website van de club de contactgegevens van alle leden konden vinden. Als je dat niet wilde, moest je dat van tevoren aangeven. Snel at ze haar boterhammen op. 'Mag ik van tafel?' vroeg ze daarna.

'Gezellig, zeg,' zei Timo zonder van zijn krant op te kijken.

'Nu al?' reageerde haar moeder. 'Anders eet je nooit zo snel.'

'Ik bedenk ineens dat ik een stukje huiswerk vergeten ben te maken. Dan kan ik dat nu nog even doen.' Zahra vond het knap van zichzelf dat ze die smoes zo uit haar mouw schudde.

'Nou vooruit,' zei haar moeder.

Zahra schoof haar stoel naar achteren. 'Kom, Nik. Jij moet me even helpen. Dan gaat het sneller.'

'O, je gaat het van Nikki overschrijven,' plaagde Timo.

Zahra zei niets, maar in het voorbijgaan gaf ze hem een tikje tegen zijn achterhoofd.

'Au.' Timo greep overdreven naar zijn achterhoofd. 'Ze sloeg me, mam. Zeg er wat van.'

Hun moeder glimlachte en liet het verder aan zich voorbijgaan.

'Wat is er?' vroeg Nikki toen ze boven op Zahra's slaapkamer waren. 'We hebben helemaal geen huiswerk voor vandaag.'

Zahra pakte haar laptop en legde hem op haar schoot. 'Dat weet ik.' Ze klonk opgewonden. 'Ik weet wat er niet klopt.'

Nikki ging naast Zahra op de rand van haar bed zitten. 'Wat dan?'

'Kijk.' Zahra opende Facebook. 'Waarom is Chantal de enige gemeenschappelijke vriend op Facebook als Bradley ook op HCA zit? Hij moet toch ook Facebookvrienden van HCA hebben?'

'Daar zit wat in,' vond ook Nikki.

Zahra opende de pagina en klikte om te zien wie allemaal zijn vrienden waren. Ze scrolde naar beneden. 'Er zitten wel wat hockeyers bij, maar niet veel.'

Nikki wees naar een jongen. 'Die ken ik. Hij speelt in de A3. Dat is een vriendenteam.'

'Het klopt dus wel.' Zahra scrolde verder. 'Hij heeft gewoon weinig hockeyvrienden op Facebook. En de hockeyers die hij heeft, spelen allemaal in zijn elftal en die kennen wij weer niet.'

Ze was teleurgesteld.

'Kijk eens op zijn tijdlijn.' Nikki keek ondertussen op haar horloge. 'We moeten zo wel weg, hoor.'

Zahra deed wat Nikki haar vroeg, maar reageerde niet op de laatste opmerking. 'Huh. Kijk nou. Zijn laatste bericht is van 3 april 2011.'

'*Mijn laatste bericht op Facebook. Geen zin meer in. Doei,*' las Nikki voor.

'Waarom gebruikt hij dan wel Facebook om mij een bericht te sturen?' Zahra snapte er niets van. 'Terwijl hij even later mijn mailadres van de HCA-site haalt.'

Nikki stond op. 'We moeten weg. Anders komen we te laat en dat kun jij nu even niet gebruiken.'

Zahra klapte haar laptop dicht. 'Dat is toch raar?' Ze controleerde of alle boeken in haar tas zaten en viel bijna van de trap toen ze van een van de bovenste treden weggleed. Vijf minuten later fietste de tweeling naast elkaar naar school.

'Wedden dat Chantal hier iets mee te maken heeft?' Zahra kon het onderwerp niet loslaten.

'Dat weet ik niet, hoor. Dat jij een hekel aan haar hebt, wil nog niet zeggen dat zij met alles wat te maken heeft.'

Zahra dacht daar even over na. 'Het is wel heel toevallig dat zij weer terugkomt en er meteen weer iets raars gebeurt.' Ze was er nog niet zo zeker van dat Chantal hier niets mee te maken had.

'Toeval,' vond Nikki.

'Ik zal haar vandaag nog eens aan de tand voelen. En als ik er weer niets uit krijg, dan heb jij gelijk en laat ik haar verder met rust.' Zahra keek opzij. 'Goed?'

'Arme Chantal,' grinnikte Nikki.

'Niks arme Chantal.' Zahra keek grimmig. 'Moet je eens zien wat voor ellende ze allemaal teweeg heeft gebracht.'

'En dan is ze nog verliefd op je vriendje ook.'

Nikki kon nog net een lach onderdrukken.

'Ex-vriendje,' murmelde Zahra.

Zahra wachtte tot de lange pauze. Daarvoor had ze de kans niet om in gesprek met Chantal te komen. Ze wilde het er ook weer niet te dik bovenop leggen. Na het laatste uur voor de pauze zorgde ze ervoor dat ze na Chantal de klas verliet en achter haar aan naar de kantine liep.

Nikki was al met Mara en Suzanne vooruitgelopen. 'Ik bemoei me hier niet mee, hoor,' had ze gezegd. 'En we moeten ook voorkomen dat Chantal het gevoel krijgt dat het altijd twee tegen één is.'

Zahra hield Chantal goed in de gaten. Gelukkig had Chantal maar één vriendin op school en met haar at ze altijd. Het voordeel daarvan was dat er nog genoeg plek was aan de tafel waar Chantal en haar vriendin waren gaan zitten. Zahra liep snel tussen de tafels door naar hun tafeltje voor anderen bij hen zouden gaan zitten.

'Wat kom jij doen?' vroeg Chantal onvriendelijk.

'Ik kom gezellig bij jullie zitten.'

'Moet je dat niet eerst vragen?'

'Mag ik erbij komen zitten, Nathalie?' Zahra vroeg het aan Chantals vriendin.

Die keek eerst vragend naar Chantal, maar toen die niet reageerde, antwoordde ze dat het goed was.

'Nou, dat was niet zo moeilijk,' sprak Zahra vrolijk.

'Vertel nou maar waarom je hier komt zitten, dan hebben we dat gehad. Want je denkt toch niet dat ik geloof dat je hier voor de gezelligheid bent?' Chantal pakte een zakje brood uit haar rugzak en legde het voor haar op tafel.

Zahra twijfelde een paar seconden, maar besloot maar meteen met de deur in huis te vallen. 'Oké, ik wil het even over Bradley hebben.'

Chantal zuchtte. 'Alweer? Wat heb je met die jongen? Is het je nieuwe vriendje?' Ze grijnsde.

Zahra negeerde de laatste opmerking. 'Wist je dat hij van huis is weggelopen?'

'Dat stond in de krant, toch?' Chantal maakte een ontspannen indruk in tegenstelling tot de dag ervoor, toen Zahra over Bradley begon.

'Vind je dat niet erg dan?'

Chantal snoof. 'Erg? Wat is erg? Ik ken die jongen niet en hij is zeventien, dus hij zal wel ruzie met zijn moeder hebben gehad en daarom weggelopen zijn. Hij komt vanzelf wel weer terug.'

Zahra wist niet zo goed hoe ze nu verder moest. Chantal gaf haar geen enkele opening om te denken dat zij er meer van wist.

Chantal wist wel wat ze moest zeggen. 'Kijk, Zahra, dat jij een afspraakje hebt met een jongen die niet komt opdagen, is mijn probleem niet. Ik begrijp dat wel, want zo leuk ben je niet. Kijk naar Jelle. Die heeft jou ook gedumpt en is weer terug bij mij.' Ze draaide zich naar Nathalie en begon een gesprek met haar.

'O ja? Jij vertelde mij dat je bij Jelle logeert.' Zahra was dankbaar dat Chantal over Jelle was begonnen. Ze herinnerde zich opeens de opmerking van Timo. 'Maar nu hoorde ik dat dat helemaal niet zo is.'

'O? Van wie hoorde je dat dan?'

'Van Timo. Die spreekt hem dagelijks.' Zahra voelde dat ze beet had.

'Misschien heb je niet goed naar mij geluisterd. Dat gebeurt wel vaker. En nou wegwezen.'

Zahra stond op. 'Ik heb vanavond een afspraakje met Jelle. Na de training in het clubhuis. Hoe vind je die?' Ze probeerde zo arrogant mogelijk over te komen.

Chantals ogen spuwden vuur, maar ze zei niets meer.

Zahra liep weg. Dat laatste leugentje gaf haar veel voldoening.

De rest van de dag lieten de twee kemphanen elkaar met rust. Zahra kon het Bradleyverhaal niet loslaten. Ze hoopte dat ze hem vanmiddag wel zou ontmoeten. Dan zouden de meeste vragen beantwoord worden. Ze was nog steeds erg benieuwd naar wat er zo belangrijk was dat hij haar daarvoor wilde ontmoeten.

Hoe meer Zahra over de hele situatie nadacht, hoe meer ze toch het gevoel kreeg dat Chantal er dit keer niets mee te maken had. De manier waarop ze antwoordde en wat ze antwoordde, gaf geen aanleiding om haar ergens van te verdenken. Uiteindelijk was de enige connectie met Bradley haar aanwezigheid in de vriendenlijst op Facebook. Nee, Zahra moest Nikki toch gelijk geven. Misschien zorgde de rivaliteit tussen haar en Chantal er wel voor dat ze altijd eerst aan Chantal als verdachte dacht zodra er iets vreemds gebeurde.

Na school liep de tweeling de school uit. Ze wilden net linksaf richting het fietsenhok lopen toen ze werden aangesproken door een politieagent. 'Mag ik jullie wat vragen?'

Zahra bleef staan en knikte.

'Zijn dit ze?' vroeg de man, niet aan Zahra of Nikki.

'Zeker weten,' hoorde Zahra een vrouwenstem zeggen achter de man. Ze keek en herkende twee tellen later de moeder van Bradley.

De man greep in zijn binnenzak en haalde iets tevoorschijn. Even later toonde hij een politiebadge aan Zahra. 'Mijn naam is Olivier de Windt. Kunnen jullie even meekomen? Ik heb een paar vragen.'

Dit kon niet anders dan over Bradley gaan. Zahra zocht naar een manier om nee te kunnen zeggen. Als ze mee zouden gaan, zou ze weer te laat op de afspraak met Bradley komen. Of hij dan nog een derde keer zou afspreken, was maar de vraag. 'Ehm, eigenlijk komt het niet zo goed uit.'

'Het is maar heel even,' zei Olivier. 'Binnen tien minuten zijn we klaar.'

Zahra pakte haar mobieltje en keek hoe laat het was. 14:40, gaven de zwarte letters aan. Het was minstens tien minuten fietsen naar het bureau, dus ze zouden het zeker niet redden.

'We hebben een afspraak om drie uur. Dat duurt ook niet zo lang. Kunnen we daarna naar het bureau komen?' Nikki had de twijfel bij Zahra gezien.

'Jaja, en dan komen jullie gewoon niet.' De moeder van Bradley werd meteen terechtgewezen door Olivier. Met zijn hand gaf hij aan dat ze zich er niet mee mocht bemoeien.

'Kan dat?' vroeg Zahra. 'Dan zijn we tussen halfvier en vier uur op het bureau.'

Olivier moest er even over nadenken. 'Komt dat voor u uit?' vroeg hij aan de moeder van Bradley.

'Ik heb alle tijd. Als ik mijn zoon maar terugkrijg.' Haar boze blik in de richting van de tweeling sprak boekdelen.

'Kom maar naar café De Dorst in het centrum,' zei Olivier. 'Dat is makkelijker en dichterbij.'

Zahra knikte.

'En nu?' vroeg Nikki toen ze over het schoolplein fietsten.

'Nu vragen we zo meteen aan Bradley wat we tegen zijn moeder kunnen zeggen. En dat zij de politie heeft ingeschakeld en dat die ons ondervraagd heeft.'

Een paar minuten fietsten ze zwijgend naast elkaar verder. Nikki doorbrak de stilte. 'Hoe zou die moeder weten waar wij op school zitten?'

'Dat is toch geen geheim?'

'Zou Chantal er toch iets mee te maken hebben?' Nikki dacht dat ze er tot nu toe van overtuigd was geweest dat dat niet zo was, maar blijkbaar zat er toch ergens nog wat twijfel.

Zahra lachte. 'Jemig, Nik. Heb je me net een beetje overtuigd dat Chantal er niets mee te maken heeft, en dan ga je zelf twijfelen.'

'Nou ja. Laat maar.' Nikki wist het duidelijk ook niet.

'De moeder van Bradley kent Chantal niet en andersom ook niet.'

'Maar toch is de moeder van Bradley erachter gekomen waar wij op school zitten. Of ze heeft dat zelf uitgezocht of ze heeft het van iemand gehoord.' Nikki bleef er geen goed gevoel bij hebben.

'Wat zou jij doen als je zoon zoek is, je hem graag terug wilt hebben en het enige aanknopingspunt twee meisjes zijn die blijkbaar wel contact met hem hebben?' Zahra keek Nikki vragend aan. 'Toch?' voegde ze er nog aan toe.

Nikki knikte. 'Waar zetten we onze fiets?'

'Doe maar bij de kerk. In die fietsenrekjes ernaast.' Zahra zette haar fiets op slot en keek rond. Ze zag nog niemand die op Bradley leek.

'Straks komt hij weer niet opdagen.' Nikki stak als eerste de straat over en bleef voor de bakkerij staan.

'Dan wil ík hem nooit meer zien. Hoe laat is het?' Zahra had geen zin om haar mobieltje te pakken. Ze wilde rondkijken en zien of ze ergens een glimp van Bradley kon opvangen.

Nikki schoof haar jas over haar pols zodat ze op haar horloge kon kijken. 'Nog twee minuten.'

'Hij komt. Ik voel het.' Zahra wiegde zachtjes heen en weer.

Nikki zei niets. Ook zij keek rond.

Naarmate de tijd wegtikte, werd Zahra ongeduldiger en chagrijnig. 'Wat een eikel, zeg. Laat hij ons weer voor niets komen.' Ze schopte tegen een steentje dat voor haar op de grond lag. Het rolde de straat op en bleef midden op de weg liggen.

'En dat terwijl er geen moeder of zus is die de pret kan bederven.'

'Nee, hij heeft geen enkel excuus om niet te komen.' Zahra keek nog een keer goed om zich heen. 'We gaan. Laat hem maar de hik krijgen.'

Ze liepen terug naar hun fietsen en even later waren ze onderweg naar het café.

'Ik ben benieuwd wat ze ons gaan vragen.' De trilling in Nikki's stem verried dat ze zich niet op haar gemak voelde.

Zahra was minder gespannen. 'Gewoon. Wat we weten over Bradley en of we nog contact met hem hebben. Dat soort dingen.'

'Zouden ze ons ergens van verdenken?'

Zahra keek opzij. 'Maak je je zorgen, zus?'

Nikki zuchtte. 'Een beetje.'

'Nergens voor nodig. We hebben niets te verbergen en hebben ook niets gedaan. Dus waar zou je je zorgen over moeten maken?'

'Ik weet het niet. Het voelt allemaal niet goed.' Nikki hield even in om een auto te laten passeren. 'Die Bradley die niet op komt dagen. De politie die ineens voor onze neus staat.'

'Als ze ons echt ergens van verdenken, dan hadden ze ons wel meteen meegenomen naar het bureau.'

Dat stelde Nikki een beetje gerust. Zahra had gelijk. Als ze ergens van verdacht zouden worden, dan had die agent hen vast niet laten gaan.

Samen liepen ze het café binnen.

'Ah, jullie zijn er.' Olivier was opgestaan en wenkte de meiden. 'Hierheen.'

Zahra en Nikki liepen zijn kant op. In de hoek stond een klein tafeltje met vier stoelen eromheen. De moeder van Bradley zat op een van de stoelen. Tegenover haar stond een laptop op tafel. Daar zat Olivier.

'Ga zitten.' Olivier nodigde de tweeling met een armgebaar uit. Zahra ging naast Olivier zitten en Nikki tegenover haar.

'Goed.' De agent schraapte zijn keel. 'Fijn dat jullie zijn gekomen.'

'Dat hadden we toch beloofd?' Zahra vond dat ze dat even moest zeggen.

Olivier knikte. Hij legde zijn vingers op het toetsenbord. 'Vertel maar,' moedigde hij de moeder van Bradley aan om te beginnen.

De vrouw haalde haar neus op. Het klonk alsof ze net hiervoor had gehuild. 'Willen jullie me alsjeblieft vertellen waar Bradley is? De onzekerheid over zijn toestand is ondraaglijk. Ik moet hem vinden.'

Olivier typte mee terwijl de moeder van Bradley praatte. Toen ze uitgesproken was, knikte hij naar Zahra.

'Ehm,' begon die. 'We weten niet waar hij is.'

'Er zal niets met jullie gebeuren als je gewoon zegt waar hij is. Jullie zullen niet als verdachte gezien worden.' Olivier probeerde zo rustig mogelijk te praten.

'Verdachte?' Nikki fronste. 'Verdacht waarvan?'

'Van het achterhouden van belangrijke informatie.' De moeder van Bradley was niet zo rustig. 'Jullie zijn de enigen met wie hij contact zoekt.'

Zahra moest toegeven dat Nikki's onrustige gevoel niet voor niets was. De situatie draaide langzaam tegen hen. 'Bradley heeft twee keer afgesproken met ons, maar hij is allebei de keren niet komen opdagen.'

'De eerste keer was u erbij,' vulde Nikki haar zus aan.

De houding van de vrouw veranderde. Ze zat ineengekrompen en het agressieve was verdwenen. 'Jullie moeten me helpen. Ik smeek het jullie.' Ze zei het bijna fluisterend. 'Zonder zijn medicijnen gaat hij dood.'

18

'Misschien is hij niet komen opdagen omdat hij ergens bewusteloos ligt.' Zahra pakte haar hockeykousen uit de kast, ging op de rand van haar bed zitten en deed ze aan. 'Dat zou alles verklaren.'

'Alles?' Nikki stond in de deuropening. 'Wat bedoel je met alles?'

Aan het einde van de ontmoeting in het café hadden Zahra en Nikki verteld wat ze wisten. Olivier had uitgelegd dat ze niet veel konden omdat Bradley kleding had meegenomen en alles erop wees dat hij vrijwillig was weggegaan. Bradleys moeder was gaan huilen en had snikkend verteld dat hij zijn medicijnen niet had meegenomen. Bradley heeft een levensbedreigende ziekte die alleen door medicijnen onderdrukt kan worden. Als hij een week geen medicijnen krijgt, raakt hij bewusteloos en in het ergste geval gaat hij dood. Zahra en Nikki hadden beloofd er alles aan te doen om te achterhalen waar Bradley was. Zodra hij weer contact zou opnemen, zouden ze het bij Olivier melden.

'Nou, dat hij er niet was en waarom hij steeds niet komt opdagen. Misschien heeft hij er de kracht niet voor.' Zahra pakte haar sporttas. 'Ga je mee naar de training?'

Nikki haalde haar schouders op. 'Waarom niet?'

Onderweg naar het hockeyveld spraken ze verder over Bradley, maar ze zagen niet hoe ze erachter konden komen waar hij zou kunnen zijn.

'Goed zo, Zahra. Probeer zo veel mogelijk het spel te verdelen.' Daniel coachte fanatiek. In de kleedkamer voor de training had hij het belang van de wedstrijd van aanstaande zaterdag nog eens onderstreept. 'Zaterdag winnen geeft ons ademruimte, zaterdag verliezen zorgt ervoor dat onze keel wat meer wordt dichtgeknepen,' had hij gezegd.

De training bestond uit veel werk met de bal. Zo hard als afgelopen dinsdag hoefde Zahra niet te trainen. Daniel had al aangegeven dat hij, twee dagen voor de wedstrijd, de speelsters van de MC1 niet wilde overbelasten. De donderdagtrainingen waren vaak meer op techniek gebaseerd en de dinsdagtrainingen op conditie en kracht.

Zahra voelde zich heerlijk. Haar balgevoel nam met iedere klap, flats of push toe. Ze werd steeds actiever in het veld en durfde steeds meer de bal op te eisen en de andere meiden te sturen. Die kenden de kwaliteiten van Zahra en namen dat zonder meer aan.

Nikki stond bij de dug-out en bekeek tevreden de verrichtingen van haar zus. Als geen ander zag ze dat de spelvreugde ervoor zorgde dat Zahra al snel weer in de buurt van het hoge niveau van voor het ongeluk kwam. Ze ging zo in het spel op dat ze niet in de gaten had dat iemand haar richting op liep.

'Sta je te bedenken hoe je mijn broer verborgen kunt houden?'

Nikki keek om en herkende Melissa, de zus van Bradley. 'Pardon?'

'Je hoorde me wel.' Het meisje legde haar handen op de stang van de omheining en keek het veld in. 'Weet je hoe ongerust mijn moeder is? Ik wil nou wel eens weten waarom jullie haar dit aandoen.'

Nikki kneep haar ogen dicht. 'Hoe bedoel je?'

'Precies zoals ik het zeg. Jullie weten waar mijn broer is, maar houden hem wel schuil. Hoe doen jullie dat eigenlijk? Is hij verliefd op een van jullie en daardoor als was in jullie handen?'

'Ik weet niet waar je het over hebt,' hakkelde Nikki. 'We weten niet waar hij is.'

'O ja, tuurlijk. Jullie weten van niets. Daarom heeft hij alleen met jullie contact.'

'We weten het echt niet.'

Melissa lachte cynisch. 'Je weet dat de politie jullie in de gaten houdt. Jullie optreden van vanmiddag was niet echt overtuigend.

En dan druk ik me nog zacht uit.'

'Wat bedoel je?' vroeg Nikki.

'Jemig, kun je niets anders dan vragen wat ik bedoel of zeggen dat je van niets weet?'

Nikki begon zich steeds onprettiger te voelen en wist, mede hierdoor, even niets te zeggen.

'Die politieagent weet heus wel dat jullie nog iets verbergen. Mijn moeder heeft alles verteld over vanmiddag. Dat jullie echt wel weten waar Bradley is en net doen of jullie geen idee hebben wat dit allemaal is.' Melissa grinnikte. 'Jullie denken toch niet dat jullie de politie om de tuin kunnen leiden?'

Nikki staarde voor zich uit, maar de training volgde ze niet meer. Haar hersenen zochten naar opmerkingen die ze vanmiddag in het café gemaakt hadden die Melissa en haar moeder lieten vermoeden dat ze echt meer wisten dan ze toegaven.

'Zwijg maar,' ging Melissa verder. 'Maar dat helpt niet. Wij weten wel beter. Maar ik hoop dat jullie je realiseren dat hoe langer je dit volhoudt, hoe groter de straf zal zijn. Zeker als Bradley straks zijn leven lang in het ziekenhuis moet liggen omdat hij een paar dagen geen medicijnen heeft gehad.' Ze haalde haar handen van de omheining en legde er een op de schouder van Nikki. 'Het wordt tijd om alles op te biechten.' Melissa draaide zich om en liep bij Nikki vandaan.

'Zei ze dat echt?' Zahra zat aan de bar en nam een slok van haar sportdrank.

Nikki knikte. 'En dat het tijd werd om alles op te biechten.'

'Wat?' Zahra zette haar flesje harder terug op de bar dan de bedoeling was. 'Opbiechten? Wat moeten we opbiechten?'

'Ze denken dat wij weten waar Bradley is. Dat hij verliefd is op een van ons en daardoor dit doet.' Nikki probeerde zo veel mogelijk terug te halen wat Melissa in die korte tijd gezegd had. 'En dat hij zijn leven lang in het ziekenhuis moet blijven als hij niet snel zijn medicijnen krijgt.'

Zahra speelde met het flesje sportdrank. 'Daar zijn we mooi klaar mee. Zeker als die Olivier ons ook niet gelooft.'

'De berichtjes op Facebook en de mailtjes werken tegen ons. Nu denkt iedereen dat wij contact met hem hebben en dat wij weten waar hij is,' zei Nikki.

Zahra zuchtte. 'Maar Olivier zei toch dat Bradley zelf spullen heeft gepakt en weg is gegaan? Dan kunnen ze ons toch niets maken?'

'Behalve als je iemand schuilhoudt die daardoor geen medicijnen krijgt en daar de rest van zijn leven last van heeft.' Nikki begon zich, door het gesprek met Zahra, steeds meer te herinneren.

'Is dat zo?'

'Het klinkt wel logisch en Melissa zei het daarstraks.'

'Waarom komt ze hierheen en niet naar ons huis? Hoe weet Melissa dat we hier zijn?' Zahra tikte met haar vinger op de bar.

Nikki dacht er even over na. 'Iedereen in Almkerk kent jou zo langzamerhand. Hoe vaak heb je niet in de krant gestaan omdat je in Jong Oranje speelde.'

'Toch moet iemand haar verteld hebben dat we vanavond hier zijn.'

Nikki vond het niet zo gek. 'Haar broer hockeyt ook en misschien heeft zij vroeger ook gehockeyd. En dus zal ze de weg wel weten op de club. En donderdagavond is een populaire trainingsavond.'

Zahra was overtuigd. 'Dat is zo. Iedereen die gehockeyd heeft, weet dat veel teams op donderdagavond trainen.' Zahra wilde net van haar barkruk af stappen toen ze een tikje op haar schouder voelde. 'Hoi,' hoorde ze een bekende stem zeggen. Meteen voelde ze het bloed van opwinding naar haar hoofd stijgen, maar ze voelde ook een bepaalde weerstand in haar lijf. Langzaam draaide ze zich om en keek in de prachtige ogen van Jelle. 'Hoi,' antwoordde ze zachtjes.

'Lekker getraind?' vroeg Jelle.

Zahra knikte. 'En jij?'

'Ook. En waar was Timo?' Jelle keek om de beurt naar Zahra en Nikki.

'Die moest naar school vanavond.' Nikki had hem dat horen zeggen.

'Kost hem een basisplaats zaterdag.' Jelle kon een grijns niet onderdrukken.

Nikki glimlachte. 'En het grappige is dat hij daar helemaal niet mee zit.'

Jelle legde zijn arm om Zahra heen. 'In tegenstelling tot zijn zus, die het al niet leuk vindt als ze vier seconden op de bank zit.'

'Dat valt wel mee, hoor.' Zahra haalde haar schouders op. 'Moet je eens kijken hoeveel ik vorige week op de bank heb gezeten.'

'Duh, nadat je twee sprintjes had getrokken, was je bekaf. Logisch dat je het lekker vond om op de bank te zitten.'

Zahra reageerde alsof ze beledigd was. 'Toevallig heb ik deze week keihard getraind, hoor. En zaterdag kan ik alweer een stuk langer spelen.' Ze vond het heerlijk om zo met Jelle te geinen. Nu pas merkte ze hoe ze dat gemist had.

'Willen jullie nog iets drinken?' Jelle pakte zijn portemonnee.

Zahra zocht contact met Nikki, maar die schudde haar hoofd. 'We gaan naar huis.'

'Jammer,' vond Jelle.

Zahra vond dat ook, maar Nikki had er zo af en toe een dag tussen zitten dat ze snel moe was. Zahra zag aan Nikki's gezicht dat dat nu ook zo was. Dan was het verstandig om naar huis te gaan, zodat Nikki naar bed kon. 'Misschien een ander keertje.'

Jelle knikte. 'Graag,' zei hij en hij knipoogde.

Zahra nam afscheid. Ze had de neiging om Jelle een kus te geven, maar ze deed het niet. Had ze niet zelf tegen hem gezegd dat het uit was? Dan kon ze nu moeilijk doen alsof er niets aan de hand was. En Jelle deed ook afstandelijk, maar dat vond Zahra wel logisch. Een beetje ongemakkelijk liep ze bij Jelle vandaan.

'Dat zag er weer goed uit,' zei Nikki.

Zahra antwoordde niet.

'Toch?' probeerde Nikki een reactie van haar zus uit te lokken.

'Het voelde goed.' Zahra zuchtte. 'Maar soms kan hij van die oerdomme dingen doen.'

'Als het maar goed bedoeld is.' Nikki deed de tussendeur naar de hal van het clubhuis open en liet Zahra er als eerste door. 'En ik heb het gevoel dat hij, met alles wat hij doet, het beste met je voorheeft.'

'Denk je dat?' Zahra dacht erover na. Misschien had Nikki gelijk. Maar hadden ze nog wel een kans samen? Was er niet al te veel gebeurd tussen hen? Zijn wegblijven tijdens Nikki's herstel en haar uitbarsting toen hij Chantal meebracht bijvoorbeeld. En het zou zomaar kunnen dat hij dat goed bedoelde, zoals Nikki zei. Dit speelde allemaal door Zahra's hoofd op weg naar de uitgang.

Zahra pakte haar tas uit het rek in de hal en botste tegen iemand. 'Oeps, sorry,' verontschuldigde ze zich meteen.

'Geeft niet,' zei een bekende stem.

Bij de herkenning kreeg Zahra meteen een steen in haar maag en ze keek in het gezicht van Chantal.

'Ik kom Jelle halen.' Chantal liep langs de tweeling heen. 'We gaan ergens wat drinken.'

Zahra's ademhaling versnelde en het voelde of er een bom in haar hoofd was ontploft. Woedend draaide ze zich om, maar meteen voelde ze een hand die haar arm vastpakte.

'Meekomen.' Nikki zei het op een toon die duidelijk maakte dat tegenspraak geen optie was. 'Het heeft geen zin.'

Zahra twijfelde nog een paar tellen en liep toen met haar zus mee. 'Wat is dat nou voor een enorme sukkel?'

'Hij is geen sukkel. Wedden dat er niets gaat gebeuren? Zij provoceert.'

Zahra haalde diep adem. 'Dus jij denkt dat Chantal hier alleen maar is om mij dwars te zitten? Daar geloof ik niets van.'

'Mij zou het niets verbazen. Chantal is tot veel in staat, zoals je nu toch wel moet weten.'

Zahra bleef treuzelen. Vlak voor ze de deur uit liep, keek ze nog een keer om, maar ze had geen zicht meer op Chantal of Jelle. 'Ik ga toch nog even terug.' En voor Nikki nog iets kon zeggen, was ze weg.

Nikki bleef bij de deur staan.

Zahra keek het clubhuis rond en zag Jelle bij een tafel zitten, waar hij met een stel teamgenoten iets zat te drinken. Chantal was in geen velden of wegen te bekennen. Misschien even naar het toilet, dacht Zahra. Ze keek om naar Nikki, die geduldig bij de deur stond te wachten. Even nog, dacht ze. Om het te versnellen liep ze door naar de toiletten en opende de deur van het vrouwentoilet. Er waren twee toiletten. De ene zat op slot en de andere stond open en was leeg. Zahra dacht na over wat nu het verstandigste was. Ze kon hier blijven wachten, maar ook ergens gaan staan waar Chantal haar niet kon zien. Dan kon ze zien of ze echt voor Jelle kwam en met hem afgesproken had.

Ze werd uit haar gedachte gehaald doordat er achter de deur doorgetrokken werd. Snel liep Zahra het toilet uit en ging aan de overkant de bestuurskamer in. Een raam met een gordijn ervoor zorgde dat niemand haar van buiten zou zien.

De deur van het toilet ging open en Zahra zag inderdaad Chantal naar buiten komen. Een gemengd gevoel van opwinding en haat ging door Zahra heen.

Chantal stond even stil en liep daarna naar het clubhuis.

Zahra opende de deur van de bestuurskamer en deed haar hoofd om het hoekje. Daarna volgde ze op veilige afstand. Hoewel, zo veilig was het niet, want als Chantal zich omdraaide, zou ze meteen zien dat Zahra achter haar liep.

Chantal hield in toen ze de bar naderde. Ze leek even te twijfelen, maar liep daarna recht op de tafel af waar Jelle zat.

Zahra zag dat Nikki bij de deur met een meisje van de C2 stond te praten. Dat stelde Zahra gerust, want nu stond Nikki niet op haar te wachten.

Jelle reageerde eerst verrast, maar zag er niet blij uit toen hij Chantal zag. Hij reageerde op een opmerking van haar en draaide zich naar zijn vrienden. Chantal probeerde naast hem te gaan zitten, maar Jelle maakte duidelijk dat hij daar niet van gediend was. Zijn armgebaren en de uitdrukking op zijn gezicht lieten niets aan duidelijkheid te wensen over. Chantal deed nog een poging, maar toen Jelle haar weer afwees, liep ze boos bij hem vandaan. Vijf passen verder draaide ze zich nog een keer om. 'Ik krijg jou nog wel, jongetje. Wacht maar.'

Jelle reageerde niet of liet niets merken. Hij was in gesprek met de jongen die naast hem zat.

Chantal liep naar de deur waar Nikki nog altijd in gesprek was. Toen ze Nikki passeerde, hield ze haar pas in, waarna ze meteen doorliep, de deur opende en achter zich dichtsmeet.

Zahra vroeg zich af of het verstandig was om even langs Jelle te lopen, maar ze besloot het niet te doen. Ergens was ze bang dat hij haar hetzelfde zou behandelen als Chantal.

'Zag je dat?' vroeg ze even later toen ze met Nikki naar haar fiets liep.

'Wat?'

'Dat gedoe met Chantal?' Zahra begreep dat het allemaal langs Nikki heen was gegaan.

Nikki schudde haar hoofd. 'Ik stond met Lia te praten en zag haar ineens voorbijstieren.'

Zahra vertelde wat er gebeurd was en dat Chantal, waar iedereen bij was, in het clubhuis door Jelle was afgewezen. Ze kon het niet laten om het met leedvermaak in haar stem te vertellen.

'Heeft ze eindelijk een keer een lesje geleerd. Dat werd tijd.'

'Ze zei dat ze hem nog wel zou krijgen. Nou, dan weet je het wel.' Zahra deed haar fiets van het slot. 'Jelle moet oppassen vanaf nu.'

'Wat zou Chantal hem nou kunnen aandoen?' Nikki zat al op haar fiets.

Zahra kon het zo snel niet bedenken. 'Dreigementen van Chantal moet je altijd serieus nemen. En als je haar kwetst, dan krijg je dat vroeg of laat voor je kiezen.'

Daar moest Nikki haar zus gelijk in geven. 'Misschien handig om dat wel even aan Jelle te vertellen.'

Zahra knikte. Ze zou hem straks even whatsappen.

'Ik stuur hem meteen even een berichtje.' Zahra had haar mobieltje in haar rechterhand en met haar linker hield ze haar stuur vast.

'Doe nou maar voorzichtig.' Nikki zag haar zus slingeren. 'Geef me anders je tas, dan gaat het een stuk makkelijker.'

Zahra liet haar tas van haar schouder glijden en gaf hem aan Nikki. Zo ging het inderdaad beter. 'Wat zal ik zeggen?'

'Gewoon dat hij moet opletten met Chantal omdat ze vaak rotgeintjes uithaalt als ze boos is.'

Zahra trok een gezicht. 'Dat is een goede tip. Hoi Jelle, je moet op Chantal letten. Voor je het weet, haalt ze een rotgeintje met je uit. Nou, daar zal hij blij mee zijn.'

'Dan schrijf je toch lekker niets.' Nikki haalde haar schouders op. 'Ook goed.'

Zahra verwijderde de paar letters die ze al getypt had. Ze liet haar duim nog even boven haar mobieltje zweven, maar besloot toen om maar niets te sturen. Morgen kon ook nog.

'Pas op!' Nikki stond vol op haar rem en kon ternauwernood op de been blijven.

Zahra keek op van haar telefoon en remde net te laat. Hierdoor kwam ze met haar fiets tot stilstand tegen een andere fiets, die dwars over het fietspad stond. Achter de fiets stond een jongen. Zahra kon met veel pijn en moeite overeind blijven, maar haar fiets lag wel op de grond. 'Idioot,' riep ze, vooral van de schrik. Hoe ze het gedaan had, wist ze niet, maar haar mobieltje had ze nog in haar hand. Dat stopte ze nu in haar zak om daarna haar fiets van de grond te pakken.

'Wat doe je?' vroeg ze aan de jongen.

Nikki had zo hard geremd dat Zahra's tas, die ze over haar schouder had hangen, over het stuur naar voren was gevallen. Hij lag nu tussen haar fiets en die van de jongen in. Hij boog voorover en pakte hem van de grond. Zwijgend hing hij hem over zijn schouder.

'Hé,' reageerde Zahra meteen, 'geef mijn tas terug.'

'Als ik mijn broer terugkrijg,' antwoordde de jongen.

Zahra had al een paar zinnen in haar hoofd, maar slikte ze in toen ze besefte wat de jongen gezegd had. Het kon niet anders dan dat hij het over Bradley had. Ze bekeek de jongen eens goed. Hij had een lichte broek aan met een donkerblauwe trui en daarover een leren jas die niet dichtgeritst zat. Zijn gezicht vertoonde gelijkenissen met die van de foto van Bradley op Facebook.

'Hoe bedoel je?' vroeg Nikki.

'Jullie hebben mijn broertje en ik wil hem terug.' Hij sprak dreigend.

Zahra zocht kort oogcontact met Nikki. De stem van de jongen, zijn uitstraling en de manier waarop hij bewoog, waren anders dan ze verwachtte van iemand van zijn leeftijd. Zahra schatte hem een jaar of achttien, maar zijn houding oogde een stuk jonger.

'Wij hebben je broertje niet en we weten ook niet waar hij is.'

Zahra merkte dat Nikki hetzelfde had opgemerkt als zij, want ze praatte tegen de jongen alsof ze het tegen een klein kind had.

'Welles,' reageerde de jongen. 'Melissa heeft het zelf gezegd.'

'Dan heeft Melissa het verkeerd begrepen.'

Nikki bleef opmerkelijk kalm, vond Zahra. En geduldig. Een van de eigenschappen die de tweeling niet deelde. Aan de onrustige manier waarop de jongen heen en weer bewoog, was te merken dat hij zich niet prettig voelde. Zahra besloot het gesprek aan Nikki over te laten.

'Ik ben Nikki. Hoe heet jij?'

De jongen knipperde met zijn ogen. Het leek of hij moest nadenken voor hij antwoord gaf. 'Dave,' zei hij kort.

'En dit is Zahra, Dave.' Nikki wees opzij.

Dave knikte, liet zijn ogen kort over Zahra gaan en richtte zich daarna weer tot Nikki. 'Waar is Bradley?' Hij had moeite met het uitspreken van de naam van zijn broer.

'We weten het echt niet.' Nikki zette haar fiets op de standaard en liep naar hem toe.

Zahra bekeek vol bewondering hoe haar zus met de situatie omging. Dat ze het voor elkaar kreeg om de jongen rustig te houden en normaal met hem in gesprek te gaan.

'Ik kom even de tas terughalen.' Nikki stak haar hand uit en Dave gaf haar de tas terug. 'Dank je,' zei ze.

Op het gezicht van Dave was een kleine glimlach te zien. 'Jij bent lief,' zei hij.

Nikki glimlachte terug.

'Melissa zegt dat jullie stout zijn.' De uitdrukking op Daves gezicht veranderde. 'Want jullie hebben Bradley meegenomen en verstopt.'

'Heeft Melissa je gevraagd om naar ons toe te gaan?' Nikki had een paar stappen terug gedaan en stond weer naast haar fiets.

Dave schudde zijn hoofd. 'Als jullie bang zijn, krijg ik Bradley terug.'

'Bang zijn?' Voor het eerst bemoeide Zahra zich met het gesprek. Nu het erop leek dat Dave hun niets meer zou doen, vond ze het veilig genoeg om ook wat te zeggen.

Als antwoord deed Dave zijn jas open en haalde een soort stok uit zijn binnenzak. 'Bang maken,' zei hij.

'Ga je ons daarmee slaan?' De verwondering was duidelijk in Nikki's stem te horen.

Dave schudde zijn hoofd. 'Bang maken.'

'Alleen maar bang maken,' bevestigde Nikki.

'Geen pijn doen.' Dave stak de stok weer in zijn binnenzak.

Nikki zette de tas op de grond en liep weer naar de jongen toe. 'Weet je, Dave, we beloven dat wij ook naar Bradley blijven zoeken. En als we hem vinden, dan komen we het zeggen, goed?' Ze legde haar hand op de schouder van Dave.

Heel even keek de jongen naar Nikki's hand. 'Oké,' antwoordde hij.

'Wanneer heb je Bradley voor het laatst gezien?' Nikki zette haar liefste stem op.

Dave trok een gezicht alsof hij pijn had. 'Weet niet.'

Nikki aaide de jongen over zijn rug. 'Wel, joh. Denk eens goed na.'

'Macaronidag.' Dave glimlachte. 'Macaronidag,' herhaalde hij.

Zahra grinnikte. 'Macaronidag.'

Dave knikte. 'Baba gaf papier op Macaronidag.'

'Baba?' Zahra snapte er niets meer van.

Nikki stak haar hand op om aan te geven dat Zahra niets meer moest zeggen. 'Met Baba bedoelt hij waarschijnlijk Bradley.' Ze bleef Dave over zijn rug aaien. 'Wat voor papier?'

Dave voelde in de zakken van zijn jas. Geschrokken keek hij op. 'Andere jas.'

'Het papier zit in je andere jas?'

Dave knikte en keek teleurgesteld. Hij sloeg met zijn hand tegen zijn hoofd. 'Melissa geven.'

'Je moet het papier aan Melissa geven?' vroeg Nikki.

Dave knikte.

'Waar woon je, Dave?' vroeg Nikki. 'Als we weten waar Bradley is, kunnen we het komen vertellen.'

Dave kneep zijn ogen weer dicht om na te denken. 'Duivenhof.'

'En welk nummer?' vroeg Nikki, toen hij dat er niet meteen achteraan zei.

'Vierentwintig.'

Nikki keek naar Zahra met een blik in haar ogen waarmee ze wilde zeggen: 'Onthouden.'

Zahra begreep het en knikte.

'Mogen we er dan nu weer langs?' Nikki liep terug naar haar fiets en klapte met haar voet de standaard in.

Dave pakte zijn fiets op en zette hem aan de kant. 'Tot morgen,' zei hij.

Nikki liep met de fiets in haar hand langs hem heen. 'Misschien tot morgen. Maar als we Bradley nog niet gevonden hebben, dan komen we nog niet.' Dave knikte, maar Nikki vroeg zich af of hij het begreep. 'Ga je nu ook naar huis?' vroeg ze.

'Naar huis,' zei de jongen.

Nikki stapte op. 'Dag.'

'Doei,' zei Dave.

Zahra stapte ook op en samen fietste de tweeling bij de jongen vandaan. Toen ze honderd meter verder waren, keek Nikki om en zag ze dat Dave er nog steeds stond. Hij zwaaide toen hij zag dat ze omkeek. Nikki zwaaide terug.

'Wat was dit?' vroeg Zahra.

Nikki zuchtte. 'Dit was Dave, de broer van Melissa en Bradley die blijkbaar verstandelijk gehandicapt is. Melissa heeft hem tegen ons opgezet en hem opgedragen ons bang te maken. Waarschijnlijk zijn ze samen naar de hockeyclub gegaan.'

Zahra dacht na. 'Hij heeft ons nog nooit gezien. Hoe weet hij dan dat hij ons moest hebben?'

'Dat is de reden dat Melissa naar mij toe is gekomen. Dave heeft vanaf een afstandje staan kijken en op die manier heeft ze aangewezen wie hij moest hebben.'

'Slim,' vond Zahra.

'En hij mocht ons alleen bang maken.'

'Zou Melissa het hebben gezien?' vroeg Zahra.

'Het zou best kunnen dat zij ergens alles heeft staan bekijken.'

Nikki keek nog een keer om, maar Dave was weg.

'Het is wel duidelijk dat Melissa er erg van overtuigd is dat wij weten waar Bradley is. En dat ze er alles aan doet om het ons te laten vertellen.' Zahra voelde haar mobieltje in haar zak trillen.

'Maar ja, wat je niet weet, kun je ook niet vertellen.'

'Wat is er met dat papier?' Zahra had dat gedeelte niet kunnen volgen.

'Geen idee.'

'En waarom vroeg je waar hij woonde? Wil je verkering met hem?' Zahra lachte.

Nikki kon er niet om lachen. 'Voor als het tijd wordt om een bezoekje aan hen te brengen.'

Zahra deed haar mondhoeken naar beneden. Nikki was altijd al slimmer geweest dan zij in dit soort situaties. En ze dacht vaak een stap verder. Zahra pakte haar mobieltje.

'Heb je een bericht?'

Zahra knikte. 'Van Jelle. Of we morgen kunnen afspreken.' Haar blije lach verried al wat het antwoord was. 'Hij vond het fijn dat we elkaar weer gesproken hebben en hij mist me.'

'Slijmbal,' zei Nikki.

Zahra stak haar tong uit naar haar zus.

'Heb je dat berichtje in de krant gelezen?' Timo had al ontbeten en lag op de grond met de krant voor zich.

'Ik ben net beneden. Wat denk je?' Zahra was chagrijnig. Ze had slecht geslapen omdat die hele toestand met Bradley haar meer en meer dwars ging zitten. Het vermoeden dat ze er geen vat op had en dat iemand een spelletje met hen speelde, werd steeds groter.

Timo trok zich niets van het gesnauw van zijn zus aan. Hij was wel wat gewend. 'Een anonieme tipgever heeft de krant gemeld dat een speler van HCA meer weet van de verdwijning van Bradley.'

Zahra was in een klap haar chagrijn vergeten. 'Wat? Een speler of een speelster?'

'Een jeugdspeler, maar ze willen zijn naam niet noemen omdat het voorlopig om een gerucht gaat.'

Zahra was al aan de ontbijttafel gaan zitten, maar stond nu weer op. Ze ging naast haar broer op de grond liggen. 'Waar staat het?'

Timo wees op een kort berichtje ergens rechtsonder op een pagina met lokaal nieuws.

'Het is geen wereldnieuws,' mompelde Zahra. Ze las het bericht eerst snel en daarna nog een keer langzaam en goed. 'Belachelijk.'

'Waarom? Het zou toch kunnen?' Timo bladerde door naar de sportpagina.

Zahra stond op. 'Wie zou dat kunnen zijn?'

'Iemand uit het team waarin hij speelde. Buiten de spelers in zijn elftal had niemand contact met hem.'

Zahra smeerde een boterham en legde er ook een op het bord

van Nikki. Ze hoorde dat haar zus de trap af kwam lopen. Tegelijk piepte het mobieltje van Timo, dat nog naast zijn bord met kruimels lag. 'Je hebt een bericht.'

Timo kwam half overeind en zat rechtop op zijn knieën. 'Gooi maar.' Hij hield zijn handen bij elkaar.

Zahra mikte het mobieltje precies in zijn handen.

'Dank je.' Timo bewoog zijn vingers over het scherm.

Nikki kwam de kamer binnen en Zahra vertelde meteen wat er in de krant stond.

'Het wordt steeds vreemder,' vond Nikki. 'Ik ben benieuwd waar dit allemaal eindigt.' Ze boog voorover naar Zahra. 'Heb je je mail al gecheckt?'

Zahra knikte. 'Geen bericht. Ik denk dat hij wel doorheeft dat we met iedereen contact hebben gehad.'

'Of er is iets met hem gebeurd.' Nikki deed een restje boter terug in het kuipje nadat ze haar boterham gesmeerd had. 'Omdat hij zijn medicijnen niet heeft genomen, zeg maar.'

Zahra kon zich dat niet voorstellen. 'Het blijft vreemd dat hij kleding heeft meegenomen en zo vertrokken is.' Ze wilde nog wat zeggen, maar Timo trok de aandacht naar zich toe.

'Holy macaroni.' Hij stond op en liep met zijn mobieltje in zijn handen naar de ontbijttafel. 'De politie is vanochtend bij Jelle geweest om te vragen wat hij weet van de verdwijning van die Bradley.'

Zahra voelde het bloed naar haar hoofd stromen. 'Wat?'

'Die jeugdspeler uit de krant is Jelle.' Timo typte op zijn mobiel.

'Is hij meegenomen?' Zahra was opgestaan en keek met hem mee.

'Wacht effe.' Timo typte tot zijn bericht af was. 'Hij zegt dat ze hem ondervraagd hebben naar aanleiding van de tip, maar dat ze hem nergens van verdenken.'

'Chantal.' Nikki was aan tafel blijven zitten. 'Haar wraak is er sneller dan we verwacht hadden.'

'Chantal?' Daar had Zahra zo snel nog niet aan gedacht. 'Denk je dat zij er iets mee te maken heeft?'

Nikki wachtte even met antwoorden omdat ze haar mond vol had. 'Dit is toch typisch een actie van Chantal. Mailtje naar de krant en naar de politie waarin ze zegt dat ze weet wie er achter de verdwijning van Bradley zit. Ze laat Jelles naam vallen en ze heeft haar wraak.'

'O, dat zal ik haar straks even driedubbel inpeperen.' Zahra's ogen spuwden vuur. 'Dat kreng.' Boos liep ze de deur uit en stampte ze de trap op.

Nikki propte nog een stukje brood in haar mond en rende achter Zahra aan. Ze trof haar op haar bed aan met haar laptop op schoot.

'Berichtje van Bradley.' Blijkbaar had Zahra haar laptop weer aan laten staan.

Nikki ging naast haar zitten. 'Wil hij weer afspreken?'

'Ik open het mailtje nu.' Zahra ging vooroverzitten. 'Eens kijken,' mompelde ze toen ze op het envelopje klikte en las:

Beste Zahra,

Jammer dat je de politie hebt geïnformeerd. Dat betekent dat ik je niet meer kan vertrouwen. Dat is ook de reden dat ik gisteren niet ben komen opdagen. Dit is mijn laatste bericht. Je zult niets meer van me horen. Onwijselijk jammer, want ik had gehoopt dat jij me kon helpen.

Vaarwel,

Bradley

'Wacht eens.' Nikki wees op het scherm.

   'Wat?'

Nikki antwoordde niet meteen. 'Heb je het tweede bericht van Bradley nog? Nadat we zijn moeder en Melissa hebben ontmoet.'

Zahra keek verbaasd. 'Ja, dat staat hieronder.'

Nikki ging met haar gezicht dichter bij het scherm. 'Laat het nog eens zien.'

'Waarom?'

'Doe nou maar,' drong Nikki aan.

Zahra zocht het bericht op. 'Hier.'

Nikki las het bericht en Zahra las mee.

Hoi Zahra,

Ik had jullie graag ontmoet, maar het kon niet. Ik wist dat mijn moeder en zus er ook zouden zijn, dus heb ik besloten om niet te komen. Mijn zus kijkt waarschijnlijk mee op Facebook, dus mail ik je maar zo. Je mailadres heb ik van de contactenlijst van HCA gehaald. Zorg dat deze mail tussen ons blijft, alsjeblieft. Binnenkort plannen we een nieuwe afspraak.

Groeten,

Bradley

'Ik zie niets geks. Jij?'

Nikki pufte. 'Misschien.'

'Wat dan?' Zahra las het bericht ook nog een keer. 'Nou, ik zie niets.'

'Je hebt gelijk,' zei Nikki. 'Ik vergis me.' Ze stond op. 'Kom, we gaan. Het is al laat.'

Zahra sloot haar laptop af en klapte hem dicht. 'Ik ga zo eerst Chantal eens vragen hoe het zit met dat krantenbericht.'

'Helemaal niet.' Nikki reageerde fel. 'Jij zegt helemaal niets tegen Chantal.'

'Nou, rustig maar.' Zahra schrok van de ongewoon felle reactie van haar zus.

Nikki ging voor Zahra staan. Haar gezicht stond strak. 'Hoor je wat ik zeg, Zaar? Je doet net of er niets gebeurd is en laat Chantal met rust.'

Zahra probeerde nonchalant te reageren. 'Dat bepaal ik zelf wel.' Het klonk weinig overtuigend. Zeker weten, dacht ze erachteraan. Chantal moest niet denken dat ze zomaar weg zou komen met deze lage streek. Hoe durfde ze Jelle erbij te betrekken, terwijl hij nergens van wist? En dat zou ze haar laten weten ook. Daar had ze zelfs weer een vechtpartij voor over.

22

Zahra had het plan om Chantal niet meteen aan te pakken. Eerst wilde ze de kat uit de boom kijken om te zien hoe zij zou reageren. Het was namelijk mogelijk dat Chantal van niets wist en dat de anonieme tip van iemand anders kwam. Maar het was wel heel toevallig dat ze de dag ervoor Jelle had bedreigd en dat hij de volgende ochtend bezoek kreeg van de politie.

Zahra vond het wel opmerkelijk dat ze daar Bradley voor gebruikte. Want wat was haar link met de jongen die spoorloos was? Tot nu toe was Facebook de enige connectie tussen haar en Bradley. Had Chantal zelf niet keihard beweerd dat ze Bradley nog nooit had gezien en hem helemaal niet kende? Dat ze hem toevallig op Facebook had, maar verder niet wist wie hij was? Waarom gebruikte ze hem dan nu wel om Jelle aan de schandpaal te nagelen? Had ze toch iets te maken met zijn verdwijning of was het allemaal toeval?

Nikki had onderweg naar school nog een keer duidelijk laten weten dat ze niet wilde dat Zahra zich met Chantal zou bemoeien. Dat Zahra het allemaal aan haar moest overlaten en Chantal links moest laten liggen. Dat was voor alle partijen het beste.

Zahra had wel ja geknikt en bevestigend gemurmeld, maar ze had nee gedacht. Ze zou onder geen beding toestaan dat dat kreng ongestraft bleef na wat ze gedaan had. Maar eerst moest Zahra een manier zien te vinden om haar te laten zeggen dat ze het echt gedaan had. Dat zou nog een hele toer worden, want Chantal kon als geen ander het bloed onder Zahra's nagels vandaan halen in dit soort situaties. Dus ze moest zich beheersen en zich niet op de kast laten jagen. Onder alle omstandigheden moest ze rustig blijven.

De eerste twee uur zou ze zich gedeisd houden en pas in de eerste pauze zou ze beginnen. Heel subtiel, zonder Chantal direct aan te vallen. Dan zou ze haar weer met rust laten tot de grote pauze, zodat Chantal kon nadenken over wat Zahra had gezegd. En in de grote pauze zou ze toeslaan en haar dwingen te zeggen dat zij die anonieme tip had gegeven. En aansluitend zou Zahra ervoor zorgen dat Chantal de tip introk, zodat Jelle nergens meer van beschuldigd werd. Zo moest het gaan.

De tweeling liep de school binnen. 'Kalm, hè?' waarschuwde Nikki.

Zahra knikte voor de zoveelste keer die ochtend.

In de klas liep Zahra meteen naar haar plek toe. Nikki zag het tevreden aan en dacht dat haar woorden genoeg indruk op Zahra hadden gemaakt.

Chantal kwam later de klas binnen en liep langs het tafeltje van Zahra, terwijl dat helemaal niet nodig was. Ze zat aan de andere kant van de klas. Voor het tafeltje van Zahra bleef ze staan en ze boog voorover. 'Hoe is het met Jelle?' fluisterde ze.

Zahra keek op en trok een vragend gezicht. 'Geen idee. Hoezo?'

'Het zou toch kunnen dat je vanochtend iets van hem gehoord hebt?'

Zahra schudde haar hoofd. 'Ik heb hem gisteravond voor het laatst gesproken. Is hij ziek?' Ze moest haar uiterste best doen om zich niet te verspreken. Eén ding was wel duidelijk. Moeite doen om Chantal te laten toegeven dat zij de anonieme tip had gegeven, was niet meer nodig. Dat had ze namelijk zojuist al gedaan.

'Oké. Dan zal hij vandaag nog wel iets van zich laten horen.'

'Vast wel.' Zahra probeerde zo zelfverzekerd mogelijk te klinken. 'We hebben de laatste tijd heel veel contact. En dan bedoel ik niet alleen per sms.' Zahra knipoogde.

Even verstarde het gezicht van Chantal, maar ze herstelde zich snel. 'Dan hoop ik dat je ervan genoten hebt, want het zou weleens het laatste contact geweest kunnen zijn.' Voor Zahra antwoord kon geven, liep Chantal parmantig bij haar tafeltje vandaan.

'Kon jij het volgen?' Zahra boog opzij naar Nikki.

Die draaide met haar ogen. 'Weer een bekende truc om je uit je tent te lokken.' Ze legde haar hand op Zahra's schouder. 'Heel goed dat je er niet in trapte.'

Zahra was daar ook tevreden over. Vooral haar opmerking over het contact met Jelle vond ze sterk. Maar toch had dat kreng het weer voor elkaar gekregen dat ze een onbehaaglijk gevoel had. Alsof zij iets wist waarvan Zahra nog niet op de hoogte was.

Dat gevoel knaagde het hele eerste uur aan Zahra. Ze kon het niet laten om zo nu en dan in de richting van Chantal te kijken. En iedere keer als ze dat deed, keek Chantal ook net haar richting op. De zelfingenomen glimlach op het gezicht van de feeks deed haar het ergste vermoeden.

Tussen het eerste en het tweede uur uitte Zahra haar bezorgdheid tegenover Nikki. 'Je moet je niet zo druk maken,' had die geantwoord. 'Als jij je rustig houdt, komt het allemaal goed.'

'Ik heb het gevoel dat jij ook iets voor mij verzwijgt,' had Zahra gezegd.

'Heb ik je ooit teleurgesteld?' vroeg Nikki.

Zahra hoefde daar niet over na te denken en antwoordde niet omdat ze wist dat Nikki zelf het antwoord ook wel wist.

Vlak voor het begin van het tweede uur trilde Zahra's mobieltje. Ze had nog net tijd om te zien wat het was. De Engelse leraar was erg streng en zodra hij een mobieltje in het oog kreeg, was de eigenaar hem voor de rest van de dag kwijt. Die tactiek werkte goed, want iedereen in de klas liet zijn mobieltje tijdens Engels in zijn zak of in zijn tas.

'Van wie?' Nikki probeerde haar nieuwsgierigheid te bedwingen, maar slaagde daar niet in.

'Jelle.' Zahra voelde dat haar hart sneller ging kloppen. Ze was zo blij dat ze weer normaal contact met hem had en dat er een mogelijkheid bestond dat ze weer wat kregen.

'Wat zegt hij?'

Zahra las het bericht. Ze fronste kort haar wenkbrauwen en las het toen nog een keer.

'Nou?' drong Nikki aan.

Zahra slikte. '*Waarom heb jij tegen de politie gezegd dat ik wat met de verdwijning van die jongen te maken heb?*' Ze voelde tranen opkomen.

'Hè? Wat bedoelt hij?'

Zahra probeerde door te knipperen haar tranen tegen te houden. 'Hij denkt dat ik de anonieme tipgever ben.'

Nikki's gezicht stond op onbegrip. 'Waarom?'

'Ik denk dat ik wel weet wie daarvoor heeft gezorgd.' Zahra maakte aanstalten om op te staan. 'En dat ga ik nu even rechtzetten.'

Maar ver kwam Zahra niet. Nikki hing aan haar arm om haar op haar plek te laten zitten. 'Jij gaat helemaal niets rechtzetten,' siste Nikki. 'Vandaag nog niet.'

Zahra liet zich tegenhouden en bleef zitten.

'Stuur eerst Jelle snel een bericht dat je echt van niets weet.'

Zahra wreef de tranen uit haar ogen en typte een bericht terug. Snel stopte ze haar mobieltje in haar zak en toen keek ze naar Chantal. Deze keer was die te druk met haar boeken om Zahra in de gaten te houden. Maar toen Zahra een paar tellen later nog een keer keek, grijnsde Chantal naar haar.

Wacht maar, dacht Zahra, ik krijg je nog wel. Ze wist alleen nog niet hoe.

Meteen toen de bel ging ten teken dat het tweede uur was afgelopen, klapte Zahra haar boek dicht en ze stond op. 'We gaan.'

'Doe normaal.' Nikki's boze gezicht bracht Zahra enigszins tot bedaren. 'Ik voer het woord,' zei Nikki.

'Vergeet dat maar.' Zahra was vastbesloten om in de twintig minuten die ze nu hadden, alles op te lossen en het desnoods uit Chantal te trekken. 'Als ze weer niets zegt, sleur ik haar over de tafel.' Ze liep de klas uit.

Nikki had snel het huiswerk in haar agenda geschreven en stak de boeken in haar tas. Zo snel als ze kon, liep ze achter Zahra aan. 'Laat mij eerst,' zei Nikki toen ze Zahra ingehaald had. 'Dan mag jij daarna.'

Zahra stapte stevig door. 'Waarom?'

'Vertrouw me nou. Ik bereik meer dan jij.'

Zahra zuchtte. 'Oké, jij je zin. Maar na jou is het kreng van mij.'

Nikki knikte. Ze hoopte dat het zover niet zou komen.

De aula was nog halfleeg toen de tweeling daar aankwam. 'Daarvoor heb je je nou zo gehaast. Moeten we wachten.'

'Elke minuut kan tellen,' overdreef Zahra. Ze liep naar de soepautomaat en morrelde aan de knopjes om tijd te rekken. Toen een jongen uit de vierde achter haar kwam staan, liep ze weg.

'Daar is Chantal.' Nikki wees haar met een hoofdknik aan. 'Nathalie loopt vlak achter haar.'

Zahra wachtte tot ze wist in welk gedeelte van de aula Chantal en Nathalie zouden gaan zitten. Toen pas kwam ze in beweging.

Nikki liep een andere weg tussen de tafeltjes door en was eerder bij Chantal dan Zahra. 'Kan ik even met je praten?' De toon waarop ze het vroeg, was vriendelijk. Misschien wel iets te overdreven.

Chantal haalde haar schouders op. 'Als jij dat wilt.'

Nikki ging op de stoel tegenover Chantal zitten. 'De politie weet wie de anonieme tip gegeven heeft.'

Heel even kneep Chantal haar ogen dicht. Net genoeg om Nikki te laten weten dat ze op de goede weg zat.

'Via je IP-adres.' Nikki praatte alsof het vanzelfsprekend was dat iedereen dat kende.

Chantal schudde met haar hoofd. 'Mijn wat?'

'Je IP-adres. Daaraan kunnen ze zien waarvandaan een mail gestuurd is en wie de abonnee is van dat nummer.' Nikki zag de verwarring bij Chantal groeien.

'Dat kan helemaal niet.'

Nikki reageerde onverschillig. 'Dan niet.'

Chantal keek om zich heen. Aan het tafeltje naast hen zat een stel jongens uit hun klas. 'Bas,' riep Chantal. 'Wat is een IP-adres?' vroeg ze toen Bas opkeek.

Bas stond bekend als de computernerd van de klas. Als iemand het wist, was hij het. 'IP staat voor Internet Protocol,' begon hij. 'Het is een soort uniek nummer, dat op je netwerkkaart staat.'

'Kunnen ze je daarmee achterhalen?' Chantal klonk een stuk onzekerder dan een paar minuten geleden.

Bas twijfelde. 'Wij niet, maar de politie zou er bij een misdrijf wel gebruik van kunnen maken.'

Nikki schoof haar stoel naar achteren. Harder dan normaal, om indruk te maken. 'Het is maar dat je het weet.' Ze draaide zich om, pakte Zahra bij haar arm en liep naar de tafel waar hun vriendinnen zaten.

'Wat schieten we hier nou mee op?' vroeg Zahra.

Nikki glimlachte. 'Het spel is begonnen,' zei ze geheimzinnig.

'Waarom hebben we in de grote pauze niets gedaan?' Zahra zwaaide vol ongeloof met haar armen na het laatste uur. 'Je zei toch dat het spel begonnen was?'

'En we gaan het nu afmaken.' Nikki keek Zahra doordringend aan.

Zahra liep bij haar zus vandaan. 'Nou, kom maar op dan. Waar gaan we naartoe?'

'Even geduld.' Nikki wandelde op haar gemak naar de aula en ging aan een tafel zitten. Er zaten groepjes leerlingen uit andere klassen aan de tafels om hen heen.

Zahra bleef naast Nikki staan. 'O nee, joh, dit helpt. Hier op je gemakkie gaan zitten en afwachten tot het probleem zich vanzelf oplost.'

'We moeten het even de tijd geven.' Nikki keek op haar horloge. 'Vijf minuten.'

Zahra werd gek. 'Wat moeten we de tijd geven?' Ze praatte een stuk luider dan de bedoeling was.

'Sst.' Nikki legde haar vinger op haar mond. 'Niet zo hard.' Ze keek geheimzinnig om zich heen. 'Ga zitten.'

Zahra zuchtte en ging naast Nikki zitten.

'Heb je niet opgelet dan?'

Zahra schudde ongeduldig haar hoofd. Ze had het gevoel dat haar zus iets belangrijks ging zeggen. 'Zit Chantal achter de verdwijning van Bradley?'

'Nee, joh. Hoe kom je daar nou bij?'

'Kon toch?' Zahra ging verzitten. 'Nou, kom op met het verhaal.'

'Nadat ik in de eerst pauze tegen Chantal had gezegd dat de politie wist wie dat berichtje verstuurd had, ging ze meteen bellen.'

Zahra trok haar mondhoeken naar beneden. 'Is me niet opgevallen.'

'In de grote pauze is ze naar buiten gegaan. Ik zag haar, zo hard als ze kon, voorbijfietsen.'

'Logisch. Zij heeft dat bericht verstuurd over Jelle. Dat is wel duidelijk.'

'Maar de vraag is naar wie ze gefietst is.' De glimlach op Nikki's gezicht verried dat ze het wist.

'Zeg het maar,' drong Zahra aan.

'Naar Melissa.'

'Melissa? De zus van Bradley?' Zahra had verschillende namen in haar hoofd, maar deze zat er niet tussen.

Nikki knikte.

'En hoe weet je dat zo zeker?'

'Chantals mobieltje. Ze heeft naar het nummer van Melissa gebeld.'

Zahra ging achteroverzitten. 'Ze bewaakt dat ding met haar leven. Hoe weet jij dat?'

Nikki trok haar wenkbrauwen omhoog. 'Kwestie van het juiste moment afwachten en toeslaan.'

'Wanneer dan?'

'Toen ze naar het toilet ging vlak voor scheikunde, heb ik even de liniaal van Nathalie geleend. Maar die had er geen en dus heb ik hem uit de tas van Chantal gehaald. En niet alleen de liniaal.'

'Wat ben jij gemeen.' Zahra lachte breeduit.

Nikki stond op. 'Moet jij zeggen. Kom, we gaan.'

'Waar gaan we heen?' vroeg Zahra.

'Naar Melissa.'

'Echt?' Zahra dacht dat ze in de maling genomen werd.

'En naar haar moeder en haar broer.'

'Cool,' zei Zahra. Ze ging naast haar zus lopen en sloeg haar arm om haar schouder. 'Maar goed dat ik je vertrouwd heb.'

'Al kostte dat wat moeite.' Nikki stak haar tong uit.

'En wat gaan we daar doen?' vroeg Zahra.

'Eens kijken wat Chantal met Melissa te maken heeft en horen wat er in het briefje van Baba staat. Want dat weten we nog niet.'

'Wat is het nummer ook alweer?' Zahra ging steeds langzamer fietsen.

'Vierentwintig.' Nikki keek naar de huisnummers. 'Dit is twaalf.'

Zahra keek naar het nummer ernaast. 'We gaan de goede kant op, want het loopt op.'

Een paar huizen verder stopten ze. Zahra liet het initiatief aan Nikki. Ze had geen flauw idee wat haar zus van plan was, maar het leek erop dat ze redelijk zeker van haar zaak was. Zahra hoopte dat ze niets over het hoofd had gezien.

Nikki zette haar fiets voor de heg.

Zahra plaatste die van haar ernaast. 'Weet je het zeker?'

Nikki reageerde niet. Als antwoord liep ze het paadje tussen de twee grasstroken op. Haar ogen spiedden kort door de ramen, waarachter de woonkamer was. Daarna belde ze aan.

Zahra bleef achter Nikki staan. Dat vond ze veiliger. Waarom wist ze niet.

Het leek erop dat er niemand thuis was, maar even later klonk er gestommel achter de deur. Van buiten kon je niet naar binnen kijken. Het grote, langwerpige raam dat helemaal van boven tot beneden in de deur zat, was aan de binnenkant afgeplakt met een soort folie. Wel hoorden de meiden dat iemand aan het slot rommelde en vlak daarna zwaaide de deur open en keek de moeder van Bradley hen eerst vriendelijk en daarna verbaasd aan.

'Dag mevrouw.' Nikki zette haar vriendelijkste stem op. 'Mogen we even binnenkomen?'

'Hebben jullie nieuws?'

Zahra merkte op dat de vrouw er vermoeid en slonzig uitzag. Haar haar zat onverzorgd en haar ogen stonden dof.

Nikki haalde haar schouders op. 'Dat zou kunnen.'

Dat antwoord zorgde ervoor dat Bradleys moeder de deur verder opende en voor de meiden uit het huis in liep. 'Blijven jullie lang?'

'Dat ligt eraan,' zei Nikki.

Zahra werd steeds nieuwsgieriger. Ze vroeg zich af hoeveel Nikki voor haar verborgen had gehouden en vooral waarom ze dat had gedaan. Zelf dacht ze dat het iets met Chantal te maken had. Nikki wist als geen ander dat die griet op Zahra werkte als een rode lap op een stier.

'Doen jullie je jas uit?'

Nikki liet haar jas van haar schouders glijden en hing hem aan een haakje. Zahra deed hetzelfde.

Zonder verder wat te zeggen, liep de vrouw vanuit de hal de woonkamer in. Daar wees ze de meiden de bank als uitnodiging om te gaan zitten. Zelf nam ze in een stoel plaats aan de andere kant van de salontafel. 'Ik ben benieuwd.'

Nikki schraapte haar keel. 'Is Melissa thuis?'

'Die is boven. Zal ik haar even halen?'

Nikki schudde haar hoofd. 'Nee, hoor. En Dave?'

De vrouw antwoordde niet meteen. 'Kennen jullie Dave?'

Nikki probeerde te polsen of haar verbazing gespeeld was. Ze dacht van niet. 'Ja. We hebben hem onlangs gesproken.'

'O?' De verbazing bij de moeder van Bradley nam alleen maar toe.

Voor ze verder kon vragen, stelde Nikki de volgende vraag. 'Noemt Dave Bradley Baba?'

Zahra hield zich afzijdig. Het leek wel of Nikki alles van tevoren had gepland en haar vragen zorgvuldig koos. Ze wilde dat niet verpesten door zich met het gesprek te bemoeien.

'Baba?' De vrouw knipperde met haar ogen. 'Ik snap het niet.'

Zahra merkte dat de vrouw zocht naar een verklaring voor de vragen van Nikki. Haar peinzende gezicht verried dat ze die niet direct kon vinden.

'Tijdens het gesprek dat wij met Dave hadden, vertelde hij dat Baba hem een papiertje had gegeven.'

De vrouw glimlachte. 'Dat kan niet.'

'Omdat Bradley weg is?'

De vrouw ging staan en schudde haar hoofd.

'Wanneer eet u altijd macaroni?'

Nu schoot de vrouw in de lach. 'Wat is dit?'

'Nou?' drong Nikki aan. Haar ogen dwaalde af naar de deur van de woonkamer.

'Op vrijdag.'

Nikki kneep haar ogen halfdicht. 'Bradley was hier nog op vrijdag, toch?'

De vrouw ging weer zitten, maar bleef op het puntje van haar stoel. 'Op vrijdag was hij hier inderdaad nog. Hoezo?'

Zahra probeerde te bedenken waar Nikki heen wilde met haar vragen.

Nikki wilde niet meteen antwoorden en werd gered door gestommel op de trap. Ze werden afgeleid door Melissa, die luid pratend de trap af kwam. Blijkbaar liep er iemand voor of achter haar. Nikki spitste haar oren.

'Waarom is het belangrijk dat Bradley hier vrijdag nog was?' De moeder van Melissa werd ongeduldig.

Nikki hoorde maar half wat ze zei. Ze had haar volledige aandacht nodig voor wat er zich in de hal afspeelde.

Zahra keek ook die kant op en wachtte op het moment dat de deur van de woonkamer openging. De klink van de deur ging al naar beneden en langzaam ging de deur open.

'Ik hou je op de hoogte,' hoorden ze Melissa zeggen. 'Ze weten zich vast geen raad meer.'

'Oké,' was het antwoord van een ander meisje dat zo te horen bij de achterdeur in de keuken stond.

Zahra spitste haar oren. Hoorde ze dat nou goed?

De deur ging verder open. 'Tot morgen dan,' zei Melissa.

'Tot morgen,' was het antwoord.

Zahra voelde het bloed naar haar hoofd stromen en wilde Nikki aanstoten.

Maar die was al opgesprongen en rende om de salontafel heen. Ze duwde Melissa, die totaal verrast was en niet wist wat haar overkwam, ruw aan de kant en rende achter het meisje aan dat net naar buiten was gegaan.

'Wat is dit allemaal? Waarom zijn jullie hier?' Melissa keek om de beurt van haar moeder naar Zahra en weer terug.

Zahra deed haar wenkbrauwen omhoog en haalde haar schouders op. 'Ik weet het niet precies.' Het klonk raar, maar het grappige was dat ze niet eens zo ver van de waarheid af zat.

'Ik weet het ook niet,' antwoordde Bradleys moeder.

Vanuit de keuken was een heftige discussie te horen. Nikki praatte hard en dominant. Zo had Zahra haar nog niet vaak gehoord. Eigenlijk alleen als ze heel erg ruzie hadden, maar dat was maar een paar keer voorgekomen. Zahra herkende de stem die terugpraatte. Die zou ze zelfs herkennen in een vol stadion waarin net gejuicht was vanwege een doelpunt.

Even later kwam Nikki de woonkamer in en ze werd gevolgd door Chantal, die met een gezicht als een oorwurm een stoel bij de eettafel vandaan pakte en ging zitten.

'Jij hier?' Zahra kon een glimlach niet onderdrukken toen ze Chantals gezicht zag.

Chantal reageerde niet, maar ging er alleen maar nog bozer door kijken.

'Ik snap er helemaal niets meer van,' doorbrak Melissa's moeder de stilte die na de terugkeer van Nikki was ingetreden.

'Ik ook niet.' Melissa had een arrogante houding aangenomen. 'Wat heeft dit allemaal te betekenen?' Alle ogen waren op Nikki gericht.

Zahra hoopte dat Nikki zich hieruit kon redden. Uit haar houding kon Zahra opmaken dat de zelfverzekerdheid die ze steeds had gehad, nog niet was verdwenen. Dat gaf Zahra hoop. Aan mij zal ze niets hebben, dacht ze erachteraan. Ik snap er namelijk ook niets meer van.

'Jij hebt de berichtjes op Facebook uit naam van Bradley naar Zahra gestuurd.' Nikki wees naar Melissa. Daarna wees ze naar Chantal. 'En jij wist ervan.'

Zahra zou het heel knap hebben gevonden als Nikki dit van tevoren had bedacht. Dat kon ze zich niet voorstellen.

'Hoezo wist ik ervan?' Chantal ging meteen in de tegenaanval.

'Omdat jij Melissa ingefluisterd hebt dat Zahra's mailadres van de website van HCA te halen is. Maar dat is niet zo. Adresgegevens wel, maar mailadressen niet.'

'Dat weet ik helemaal niet.' Chantal was duidelijk beledigd door de aanval.

'Dat zei ik dus,' ging Nikki rustig verder. 'En dus heb je Zahra's mailadres aan Melissa gegeven en heeft zij verder gemaild.'

'Doe niet zo belachelijk. Hoe kom je daarbij?' Met een schuin oog keek Melissa naar haar moeder. 'Ik heb de berichtjes gelezen omdat ik zijn wachtwoord ken, maar ik heb ze niet geschreven.'

Nikki liet zich niet uit het veld slaan. 'Echt wel. Nadat wij op de eerste afspraak afgingen en we jullie daar troffen, kreeg Zahra een mailtje. Daar stond in dat Bradley het jammer vond dat hij *ons* niet ontmoet had. Maar hij wist helemaal niet dat we met z'n tweeën waren. Zahra zou alleen komen. Alleen jij en je moeder wisten dat.'

'Misschien heeft hij ons bespied en heeft hij gezien dat jullie samen waren.' Melissa trok een triomfantelijk gezicht. 'Zou toch kunnen?'

'Nee, want hij schreef dat hij niet kon komen omdat hij wist dat jij en je moeder er ook zouden zijn.' Nikki klonk stellig.

'Misschien is hij wel gekomen, maar zag hij mij en mijn moeder staan en is hij daarom niet tevoorschijn gekomen.' Melissa liet zich niet zomaar uit het veld slaan.

'Klopt. Maar wij waren te laat en jullie waren nog later. Dus normaal gesproken was hij er al geweest en had hij op ons moeten staan wachten. Het is onlogisch om je een kwartier schuil te houden, toch?' Nikki voelde wel dat haar verhaal nog niet overtuigend genoeg was. Maar de twijfel bij Melissa en het feit dat ze in de verdediging ging, zei haar genoeg.

'Het zal wel komen omdat de politie erbij betrokken is en jullie je nu schoon willen praten.' De arrogante houding kwam weer langzaam terug bij Melissa. 'Maar dat jullie dat doen, geeft juist aan dat jullie iets te verbergen hebben.'

Zahra vond het tot nu toe ook nog niet honderd procent overtuigend. Een echt duidelijk bewijs dat Melissa achter de berichtjes zat, had ze nog niet gehoord.

'In het laatste berichtje gebruikte je het woord *onwijselijk*. Jij bent de eerste die ik dat ooit heb horen zeggen. Je zei het ook bij het eerste afspraakje. Daar ben je echt de fout in gegaan.'

Melissa ging verzitten. 'Dat zeg ik nooit.'

'Wel, Melis.' Het was de eerste keer dat Netty iets zei. 'Je zegt het zelfs heel vaak.'

'Bradley zegt het ook vaak. En ik heb het van jou. Jij zegt het ook altijd.'

'Brad gebruikt dat woord nooit.' Netty deed haar ogen dicht en kneep haar lippen op elkaar. 'Wat valt me dit van je tegen, Melis.'

Melissa ging staan. 'Ik heb niets gedaan, mam. Ik zweer het.' Om haar woorden kracht bij te zetten spuwde ze lucht tussen haar vingers door.

'Waarom, Melis? Ik vind het al zo erg dat Bradley weg is. En omdat ik dacht dat Bradley met Zahra op Facebook zat, had ik hoop.'

Zahra zag een traan over Netty's gezicht naar haar mondhoek gaan. Ze deed geen moeite om hem weg te vegen.

'Mam,' zuchtte Melissa. 'Ik heb die berichtjes niet gestuurd.' Ze sprak de woorden langzaam en met tussenpozen uit.

'Het geeft ook niet,' suste Netty. 'Ik neem aan dat je het deed om te helpen. Hoe weet ik nog niet, maar dat maakt verder niet uit.'

Melissa zwaaide uit wanhoop met haar handen in de lucht. 'Dit is echt … echt ongelooflijk,' stotterde ze.

'En dan nog iets.' Nikki gaf niet op. 'Dave zegt dat Baba hem op macaronidag een briefje heeft gegeven.' Ze keek de groep rond. 'Volgens mij betekent dat dat Bradley hem op vrijdag een briefje heeft gegeven.'

'Nee,' antwoordde Melissa. 'Baba is niet Bradley. Dave noemt onze vader Baba. Hij woont in Zuid-Frankrijk. We hebben al jaren geen contact meer met hem. Hij leeft een soort kluizenaarsbestaan.'

'Vader,' lispelde Nikki zachtjes voor zich uit. Daar had ze niet op gerekend. De radartjes in haar hersenen probeerden alle gegevens te verzamelen en verbanden te leggen.

'Daar had je niet aan gedacht, zeker,' zei Zahra zacht.

Nikki schudde haar hoofd. 'Maar dit beantwoordt wel een paar vragen.'

'Wat dan?' vroeg Netty. Ze was ineens een stuk onrustiger en stond op. 'Nou, dan is hiermee de zaak afgehandeld. Heel vervelend allemaal. Zal ik jullie uitlaten?'

Zahra begon langzaam medelijden met Melissa te krijgen en vond dat het erop leek dat ze echt van niets wist. Maar zou Chantal dan al die berichten gestuurd hebben? Ze zou ertoe in staat zijn, maar waarom?

De deur zwaaide open en een jongen stampte de kamer binnen. Netty reageerde meteen en fel. 'Naar boven, jij. Wie heeft gezegd dat jij naar beneden mocht komen?'

Dave kromp ineen als een geslagen hond en draaide zich om. Zo snel als hij kon, rende hij de trap weer op.

'Waarom doe je zo, mam?' Melissa rende achter Dave aan.

'Kinderen … mijn hemel,' reageerde Netty. 'Zal ik jullie dan maar even uitlaten?'

Zahra stond meteen op. Dit was een groot drama geworden, en zeker niet zoals Nikki het zich had voorgesteld.

'Kan ik eerst nog even naar het toilet?' Nikki stond ook op.

Netty keek verstoord. 'Die beneden trekt niet door. Dan moet je naar boven.'

Zahra snapte er niets van. Het was niets voor Nikki om in een wildvreemd huis naar de wc te gaan. Hoe nodig ze ook moest.

25

'Het duurt wel heel erg lang.' Netty trommelde nerveus met haar vingers op de tafel.

'Grote boodschap misschien?' grijnsde Chantal. Ze had zich totaal niet bemoeid met wat er zich afgespeeld had.

Zahra wist niet zo goed wat ze daarvan moest denken. Deed ze dat omdat ze er echt niets mee te maken had? Of was het juist omdat ze een aandeel had in het spel op Facebook en de berichten die naar haar waren gestuurd? Ze deed haar jas, die ze al dichtgeknoopt had, weer open.

'Ik ga wel even kijken.' Netty liep de trap op.

Even later hoorde Zahra een heftige discussie van boven. Chantal en zij keken elkaar vragend aan.

'Wat is dit?' schreeuwde Melissa.

'Ik weet het niet,' riep Netty terug.

'Lees voor,' commandeerde Melissa.

Zahra hoorde Netty in huilen uitbarsten.

'Waarom heb je dit gedaan, mam?' riep Melissa. 'Waarom?'

'Hij haalde het bloed onder mijn nagels vandaan. Dag in, dag uit,' antwoordde Netty tussen twee huilbuien door.

'Bradley?' vroeg Melissa. Het ongeloof was in haar stem te horen.

'Hij gaf mij de schuld van de scheiding met je vader. En iedere dag weer lag hij dwars en de ruzies werden steeds erger. Ik kon er niet meer tegen.'

Zahra keek opzij naar Chantal, die geconcentreerd stond te luisteren.

'En dus dacht je: weet je wat, ik zorg dat ik van hem af kom. Wat ben jij voor een moeder!' Daarna was het even stil. Nikki was aan het woord en het gesprek kwam duidelijk op gang. Even later hoorde Zahra Melissa van de ene kamer naar de andere gaan en een deur achter zich dichtslaan. Daarna was het stil.

Zahra draaide zich om naar Chantal. 'Misschien moet je even naar haar toe gaan.'

Chantal reageerde niet-begrijpend. 'Ikke?'

'Je bent toch haar vriendin?'

Chantal knikte.

'Ik denk dat ze je steun wel kan gebruiken.'

Chantal liep treuzelend naar boven. Zahra kon horen dat ze zachtjes een deur open- en weer dichtdeed.

Zahra stond moederziel alleen in de woonkamer te wachten. Vanuit een van de kamers hoorde ze dat Netty een beetje tot bedaren was gekomen, maar nog steeds snikte. Nikki praatte met haar, maar Zahra kon niet verstaan wat ze tegen elkaar zeiden. Ze wist niet precies hoelang ze daar gestaan had toen ze Netty naar beneden hoorde komen. Dave volgde even later. Ook hij had betraande ogen.

Nikki kwam vijf minuten later naar beneden en pakte Zahra bij haar arm. 'We gaan. Wij hebben hier niets meer te zoeken.'

Zahra wierp een laatste blik op Netty, die op een stoel in de kamer was gaan zitten en ontredderd en wezenloos voor zich uit zat te kijken, terwijl de tranen over haar wangen stroomden.

Nikki wreef Dave, die in de deuropening stond, over zijn rug. 'Ga maar naar Melissa toe.'

Zwijgend liep de jongen de hal in en de trap op.

Nikki liep voor Zahra uit, deed haar jas aan en liep de voordeur uit.

'Vertel nou maar eens wat er allemaal aan de hand is,' vroeg Zahra

toen ze naast elkaar op de fiets zaten. 'Ik snap er helemaal niets van. Is Bradley dood?'

Nikki glimlachte. 'Nee, joh.'

'Waar is hij dan?'

'Bij zijn vader.'

Zahra gniffelde. 'Helemaal in Zuid-Frankrijk?'

'Tja.' Nikki zuchtte. 'Hij is helemaal niet ontvoerd of weg of weet ik veel wat. Netty heeft gewoon zijn vader gebeld en hem gevraagd of Bradley voortaan bij hem kon wonen.'

'Jemig. Dus ze heeft vanaf het begin geweten waar hij was. En dat met de politie erbij, terwijl alles gewoon poppenkast was?' Zahra begon het langzaam te begrijpen.

'Netty heeft de verdwijning wel gemeld bij de politie, maar er verder niets mee gedaan.'

Dat snapte Zahra niet. 'En Olivier dan?'

Nikki grinnikte. 'Dat was helemaal geen politieagent. Ik vond het al zo raar dat we niet naar het bureau hoefden te komen, maar naar een cafeetje moesten.'

'En wie was Olivier dan?'

'Een kennis van Netty. Ze hadden niet eens zijn naam veranderd, dus ik kon hem zo op het internet vinden.'

'En Netty regelde alles.'

'Klopt. En zij stuurde die berichtjes via Facebook naar jou.'

'Wacht eens.' Zahra wreef in haar ogen. 'Waarom naar mij? Zij kent mij niet en ik ken haar niet. Bradley kent mij niet en ik hem ook niet.'

'Puur toeval. Ze pikte gewoon een vriend van een vriend uit, keek of die vaak op Facebook zat en stuurde die een bericht. Aangezien jij nooit wat op Facebook zet, pakte ze jou als vriend van Chantal. Ze wist niet dat je een mailtje krijgt als iemand je een bericht stuurt.'

'Wat wilde ze daarmee bereiken dan?' Zahra probeerde het zelf te verzinnen, maar kon het niet bedenken.

'Haar bedoeling was om Bradley naar zijn vader te sturen zonder dat Melissa het wist. Ze was bang dat zij dan ook naar haar vader zou gaan en dan had ze alleen Dave nog. Nu leek het of Bradley ergens vrijwillig naartoe was gegaan en dat daarmee de kous af was.'

'Wat een gedoe.' Ze moesten stoppen voor een spoorwegovergang.

'Maar Melissa maakte er een probleem van, ging naar de politie en checkte alles van Bradley. Dat bracht Netty in het nauw en dus verzon ze het Facebookbericht om Melissa gerust te stellen. Ze nodigde jou uit voor een afspraak en je kwam nog opdagen ook. Netty had gedacht dat er niemand zou komen en dan was er alleen nog Bradley die zoek was. Na verloop van tijd zou het allemaal overwaaien. Iedereen was aan hun nieuwe leven gewend en dan zou Bradley weer tevoorschijn komen.' De spoorbomen gingen weer open en ze fietsten verder.

'Goh.' Zahra dacht na. 'En jij wist dit allemaal al toen we naar het huis van Netty gingen?'

'Nee, joh.' Nikki schoot in de lach. 'Ik dacht dat Melissa de berichtjes stuurde samen met Chantal, om ons te pesten. Als een soort revanche voor wat jij haar aangedaan hebt met dat ongeluk.'

'Zij heeft jou iets aangedaan,' verbeterde Zahra haar zus.

'Maar jij hebt ontdekt dat haar moeder het gedaan had.'

Daar zit wat in, dacht Zahra. 'Waarom laat Bradley niet weten dat hij bij zijn vader is? Heeft Melissa totaal geen contact met hem?'

'Bradley is net als zijn vader,' zei Nikki. 'Een kluizenaarstype. Hij sluit zich de hele dag op op zijn kamer om te gamen en verder niets.'

'Huh?' Zahra reageerde verbaasd. 'Maar hij heeft wel een Facebookpagina met een stel vrienden?'

'Klopt, maar daar deed hij heel weinig mee. Maar dat hadden wij ook al gezien, toch? Hij heeft weinig of geen contact met de

buitenwereld. Timo zei toch ook al dat het een apart mannetje was?'
Ze waren thuis en Nikki stapte van haar fiets.

'Nog één dingetje.' Zahra zat nog op haar zadel en steunde met één been op de grond. 'Wat was dat voor briefje?'

'Van hun vader aan Melissa en Dave. Een heel verhaal, maar hij legt er ook in uit waarom Bradley weg is. Hij had het aan Dave gegeven zonder dat Netty het had gezien en gezegd dat Dave het aan Melissa moest geven, die er die middag niet was. Maar dat was hij vergeten.'

'Vandaar dat hij dat briefje noemde toen we hem tegenkwamen,' zei Zahra.

Nikki zette haar fiets in de schuur. 'Precies,' zei ze toen ze terugkwam.

Zahra reed haar fiets de schuur in. 'Maar als Melissa er niets mee te maken heeft, hoe kan het dan dat Dave ons gevonden heeft na de training van gisteren?'

'Hij is Melissa waarschijnlijk gevolgd van thuis. Zij heeft het een paar keer over ons gehad en hem gezegd dat wij wisten waar Bradley was. Hij heeft gezien en gehoord wat ze tegen mij heeft gezegd toen ik naar de training stond te kijken. En daaruit heeft hij de conclusie getrokken dat wij ruzie hadden met haar. Daarom ging hij ons bang maken.'

'Wel zielig voor hem,' vond Zahra.

'Zeker,' zei Nikki.

Zahra opende de keukendeur. 'Het is ook voor het eerst dat Chantal nergens mee te maken heeft.'

'Nou, nergens.' Nikki liep achter Zahra aan en deed de deur weer dicht. 'Ze heeft wel dat mailtje naar de politie gestuurd over Jelle.'

'Zie je wel? Dat kreng.' Zahra kneep haar handen samen tot vuisten. 'Moeten we daar niet iets mee doen?'

'Ik heb Chantal verteld dat ik van haar verwacht dat ze de politie laat weten dat Jelle er niets mee te maken heeft,' zei Nikki.

'Ah, toen je nog even bij Melissa naar binnen ging, zeker.' Zahra legde haar hand op Nikki's schouder. 'Goed gedaan, zussie.' Ze gaf haar een kus op haar wang. 'En die sprint achter Chantal aan was ook niet slecht.'

Nikki omhelsde haar zus en drukte haar tegen zich aan. 'Nee, die was niet slecht, hè?'

'Gaf het een goed gevoel?' Zahra keek haar zus recht aan.

Nikki's ogen glinsterden. 'Zeker.'

26

Zahra liep iets achter de groep tijdens de warming-up. Ze was nerveuzer dan de week ervoor. Dat kwam omdat ze het gevoel had dat er nu meer druk op haar lag. Daniel had in de bespreking nog eens benadrukt hoe belangrijk deze wedstrijd voor hen was. Dat verliezen eigenlijk geen optie was en, als ze volgend seizoen nog steeds in de eerste klasse wilden spelen, de drie punten mee naar Almkerk genomen moesten worden. Daarna had hij Zahra nog eens apart genoemd en verteld hoe fijn hij het vond dat ze weer terug was. Op zich was het aardig bedoeld, maar het kwam op Zahra ook een beetje over alsof het, doordat zij weer meedeed, allemaal wel goed zou komen.

Als afsluiting van de warming-up werd, zoals altijd, de laatste keer heen en weer sprintend afgelegd. Daarna volgde nog een aantal baloefeningen voor ze weer naar binnen gingen.

'Geef HC Becilom geen moment de kans om in hun spel te komen.' Daniel ijsbeerde door de kleedkamer. De druk die hij overgebracht had op zijn team, voelde hijzelf misschien nog het meest. 'Ook zij zullen het gevoel hebben dat het vandaag alles of niets is. Als wij winnen, komen we zeven punten voor met nog drie wedstrijden te gaan. Zij hebben nog harder een overwinning nodig dan wij.'

Zahra deed haar scheenbeschermers goed en strikte haar veters nog een keer. De woorden van Daniel gingen half langs haar heen. Ze hoorde ze wel, maar ze drongen amper tot haar door. Zich concentreren, noemde ze dat. Op zo'n moment kroop ze bijna in zichzelf, riep ze wedstrijdsituaties op in haar hoofd en bedacht ze hoe ze die zou gaan oplossen.

'We gaan naar buiten, dames.' Daniel deed de deur van de kleedkamer open en bleef zelf in de deuropening staan. De meiden liepen langs hem heen en hij gaf hun een high five.

Toen de bal eenmaal rolde en HCA en HC Becilom elkaar in de beginfase aftastten, verdween de spanning uit het lijf van Zahra. Ze begon in de basis als midmid en de eerst passes kwamen goed aan. Het onwennige van een week ervoor was een stuk minder.

HCA kreeg drie kansjes. Zahra sloeg vanaf de kop van de cirkel net naast en Charlotte tipte een voorzet goed naar de hoek, maar de doelvrouw bracht redding. De grootste kans was echter voor Romy. Zahra slalomde door de verdediging en kwam bij de zijkant van de cirkel terecht. Hard sloeg ze de bal voor het doel. Een verdedigster miste, waardoor de tweede verrast was en de bal zo in de stick van Romy terechtkwam. Ze stond helemaal vrij voor het doel, maar kreeg de bal niet snel genoeg onder controle, waardoor de doelvrouw zich voor haar kon gooien en een achterstand kon voorkomen.

Na een kwartier voelde Zahra haar benen vollopen en liet ze zich wisselen. Dat was zo afgesproken met Daniel, die vooraf had gezegd dat Zahra zelf moest aangeven wanneer ze gewisseld wilde worden. Maar ook dat ze zich in die eerste periode niet leeg moest spelen en dat ze haar krachten goed moest verdelen over de hele wedstrijd.

Tien minuten later kwam Zahra weer in het veld. De laatste tien minuten zou ze in de spits spelen. Charlotte maakte plaats voor haar. In de spits hoefde Zahra minder te verdedigen en dat kwam haar explosiviteit ten goede. Haar sprints waren feller en haar acties scherper.

Vlak voor rust speelde Marit, die nu midmid stond, haar aan en liep zich meteen weer aan de rechterkant van het veld vrij. Zahra deed alsof ze de bal terugspeelde, maar in plaats daarvan sloeg ze langs de bal heen. Haar tegenstandster bewoog mee in de richting waar de bal heen zou zijn gegaan als Zahra Marit weer had aangespeeld.

Razendsnel draaide Zahra terug en benutte de ruimte die ontstaan was door het weglopen van de voorstopper. Haar startsnelheid was niet verdwenen en ze had meteen een meter voorsprong.

Romy kwam van rechts naar binnen. Even dacht Zahra eraan de bal tussendoor in de loop van de rechtsvoor te spelen, maar ze zag de linksachter het gat dichtlopen. Hierdoor besloot ze de andere kant op te draaien, maar ook op links was er geen afspeelmogelijkheid.

Zahra zag de laatste vrouw voor zich en voelde dat de voorstopper dichterbij kwam. Ze besloot rechtdoor te lopen en het duel met de laatste vrouw aan te gaan. Die stapte uit en probeerde Zahra naar de zijkant te dwingen. Zahra speelde het spel mee en dreef de bal met haar backhand naar links. Na drie passen speelde ze de bal ineens de andere kant op en tussen de benen van de verraste laatste vrouw door. Na nog twee balcontacten lag de bal net in de cirkel en haalde Zahra met haar backhand uit. De bal bleef laag en stuiterde, buiten bereik van de doelvrouw, via de binnenkant van de paal in het doel.

Zahra juichte toen ze de klap hoorde, maar voelde ook de vermoeidheid in haar benen. Het leek wel of haar spieren net zo onder spanning stonden als een elastiek dat helemaal uitgerekt is. De kramp schoot in haar rechterkuit, waardoor ze ophield met juichen en zich met een kreet van pijn op de grond liet vallen.

Marit was heel snel bij haar en zag meteen wat er aan de hand was. Ze pakte Zahra's been en rekte haar kuitspier op. Dat hielp en even later strompelde Zahra het veld af.

'Mooi doelpunt,' zei Daniel.

'En veel pijn.' Zahra ging op de bank zitten en liet zich door de verzorger behandelen. Hij masseerde de kuitspier. Eerst ging ze bij iedere aanraking door de grond van de pijn, maar na een minuut zakte dat weg en verdween de spanning.

De ruststand was 0-1 in het voordeel van HCA. De tegenstander had twee strafcorners gekregen, maar was verder niet gevaarlijk geweest. 'Jammer dat we niet wat meer afstand hebben genomen,' zei Daniel. 'Maar als we dit vasthouden, ben ik meer dan tevreden.'

De tweede helft kwam Zahra niet veel meer aan spelen toe. Ze begon de tweede helft op de bank en viel na iets meer dan tien minuten in. De stand was nog steeds 0-1, maar Becilom was de tweede helft sterker uit de startblokken geschoten dan HCA.

Zahra stond net in het veld toen de spits van Becilom de bal klaarlegde voor een van hun middenvelders, die de gelijkmaker scoorde.

Daniel stond aan de rand van het veld hevig te gebaren. Hij probeerde de meiden aanwijzingen geven, maar kon maar moeilijk zijn emoties in bedwang houden.

Zahra was weer op het middenveld begonnen, maar ze had behoorlijk last van de krampaanval uit de eerste helft. Zodra ze aanzette, voelde ze haar rechterkuit aanspannen en het leek wel of de spier op springen stond. Langer dan tien minuten hield ze het niet vol en haar bijdrage aan het spel werd steeds minder. 'Wisselen maar.' Zahra gebaarde naar de kant dat het mooi geweest was. Teleurgesteld verliet ze het veld.

'Even rusten?' vroeg Daniel.

'Het gaat niet meer.' Zahra maakte de veters van haar schoenen los. 'Te veel last van mijn kuit.'

'Gaat het niet?' Nikki was naast de dug-out komen staan en stak haar hoofd om het hoekje.

'Mijn kuit.' Zahra wreef over haar zere spier.

Nikki kneep haar lippen op elkaar en fronste haar wenkbrauwen. 'Balen.' Ze ging weer terug achter de omheining staan. Ze wist dat Daniel er een hekel aan had als iemand die niet bij het team hoorde in de dug-out kwam staan tijdens de wedstrijd.

Vanaf de bank zag Zahra dat Becilom op 2-1 kwam uit een strafbal, die toegekend was nadat Romy met haar voet een bal op de doellijn had gestopt. Gelukkig scoorde Charlotte vlak voor tijd nog de 2-2, waardoor de voorsprong op HC Becilom vier punten bleef. Dan moesten ze die voorsprong in de komende drie wedstrijden maar verdedigen om degradatie te voorkomen. Zahra hoopte dat ze daar een bijdrage aan kon leveren, bedacht ze toen ze na de wedstrijd strompelend richting de kleedkamer liep.

27

'En?' Jelle liep op Zahra af toen het team terugkwam in het club-huis van HCA.

'2-2.' Zahra ging zitten. Ze strekte haar been en trok een pijnlijk gezicht.

Jelle ging naast haar zitten. 'Geblesseerd?' vroeg hij bezorgd.

Zahra knikte. 'Mijn kuit. In de eerste helft had ik kramp en dat ging niet meer over.'

Nikki kwam er even tussendoor. 'Wat drink je?' Ze maakte met haar hand een drinkgebaar.

'Een AA'tje,' antwoordde Zahra.

Nikki draaide haar hoofd naar Jelle. Die greep in de kontzak van zijn broek en gaf Nikki tien euro. 'Voor mij een colaatje, en neem zelf ook wat. Ik trakteer.'

'Nee, joh,' sputterde Nikki nog even tegen.

Maar Jelle had zich alweer naar Zahra toe gedraaid, waardoor Nikki schouderophalend naar de bar liep.

'Is er iets gescheurd?' vroeg Jelle.

Zahra haalde haar schouders op. 'Ik denk het niet. Althans, zo voelt het niet.'

'Stoor ik?' klonk een stem achter Zahra.

Die wist meteen wie het was. De stem van Chantal deed haar nekharen recht overeind staan. Geërgerd draaide ze zich om.

'Rustig maar,' reageerde Chantal. 'Ik kom afscheid nemen.'

Jelle was gaan staan. Hij vond het niet prettig om op te kijken naar Chantal. Zahra was wel blijven zitten. 'Afscheid nemen?' vroeg Jelle.

Was het maar waar, dacht Zahra. Dit zal wel het zoveelste trucje van dat kreng zijn.

'Een cola en een AA.' Nikki zette een dienblad op tafel met de bestelde drankjes. Argwanend keek ze vanuit haar ooghoeken naar Chantal. Even twijfelde ze of ze haar ook iets te drinken zou aanbieden, maar het gezicht van Zahra deed haar besluiten het niet te doen.

'Chantal komt afscheid nemen.' De ondertoon in haar stem verried dat ze er niets van geloofde.

Chantal ging aan de kopse kant van het tafeltje zitten. Het viel Zahra op dat haar houding anders was dan gewoonlijk. Niet agressief, eerder bescheiden en terughoudend.

'Ik ga terug naar mijn moeder. Ze heeft me daar ingeschreven op een school en vanaf morgen ben ik weg.'

Zahra wist niet zo goed hoe ze moest reageren. Vanbinnen bleef een stemmetje zeggen dat dit niet echt was. 'Waarom kom je afscheid van ons nemen? Zulke goede vrienden zijn we niet.'

'Ik kom eigenlijk voor Jelle. Maar we hebben toch tien jaar bij elkaar in de klas gezeten, dus is het best leuk om jullie ook gedag te zeggen.'

Zahra kuchte. Het kwam spontaan op, maar klonk alsof het een uiting van ongeloof was.

Chantal ging staan en omhelsde Jelle. 'Nou, dag dan. En sorry van dat mailtje naar de politie.'

'Excuses niet aanvaard.' Jelle beantwoordde de knuffel niet.

'Ik was boos en dan doe ik nou eenmaal domme dingen.' Ze bleef hem vasthouden. 'Jammer dat het niets tussen ons geworden is.'

'Dag.' Jelle wist zich geen houding te geven. Even bleven ze zo staan, tot Jelle haar van zich af duwde.

Chantal liep langs het tafeltje. 'Mijn moeder heeft inderdaad onderzocht of ze een claim kon indienen. Ik heb het haar uit haar hoofd gepraat, nadat jij mij ernaar had gevraagd.'

Zahra zocht oogcontact met Nikki. Ze geloofde helemaal niets van wat Chantal nu zei. Hoewel het wel geloofwaardig klonk.

'Dat was de reden dat we voor even terug zijn gekomen.' Chantal hield haar hoofd een beetje schuin. 'Nou, tot ziens dan maar.' Ze zwaaide door haar vingers langs elkaar heen en weer te bewegen.

'Tot ziens,' zei Zahra. Ze stak haar arm in de lucht.

Chantal liep op Nikki af en legde haar hand op haar schouder. 'Ehm,' begon ze. 'Ik eh ...' Ze gaf een klopje op Nikki's schouder. 'Nou ja, tot ziens.'

Nikki knikte. 'Dag Chantal.'

Chantal liep bij het tafeltje vandaan. Bij de uitgang hield ze even in en het leek erop dat ze zich zou omdraaien. Maar zonder dat te doen, liep ze de hal in.

'Nou, nou,' zei Zahra toen ze helemaal uit het zicht was.

Jelle ging weer zitten. 'Dat was Chantal.'

'Ik geloof er geen bal van,' zei Zahra. 'Ik vraag me af wat hierachter zit.'

'Misschien wel niets.' Nikki nam een slok van haar drinken.

'Dat zou dan voor het eerst zijn.' Zahra ging verzitten en greep naar haar pijnlijke kuit. 'Eerst zien, dan geloven.'